LE
THÉ

LIVRE DU CONNAISSEUR

Jane Pettigrew

Le
Thé

Livre du Connaisseur

avec la participation de

MARIAGE FRÈRES
Maison de Thé à Paris
depuis 1854

Direction de création : Richard Dewing
Direction artistique : Clare Reynolds
Maquette : Dave Goodman
Direction éditoriale : Clare Hubbard
Assistance éditoriale : Rosie Hankin
Cartes : Richard Chasemore

Adaptation française : Marie-Line Hillairet, Anne Blot
Coordination de l'édition française : Philippe Brunet

Remerciements de l'auteur

Dans le monde entier, de nombreuses personnes d'horizons extrêmement variés m'ont prodigué de précieux conseils pour m'aider à préparer ce livre. Je souhaite remercier sincèrement ceux qui m'ont envoyé des échantillons, des ustensiles, de la documentation et des photos. Je voudrais également adresser des remerciements particuliers à cinq personnes : Kitti Cha Sangmanee, de la maison de thé Mariage Frères à Paris ; Devan Shah, des Indian Tea Importers aux États-Unis ; Mike Bunston et Dominic Beddard, de Wilson Smithett Ltd., en Grande-Bretagne ; et Iltyd Lewis, du Tea Council de Grande-Bretagne. Leurs conseils avisés ont été très appréciés. Un grand merci à Clare Hubbard de Quintet Publishing Ltd.

ISBN : 2-87677-285-X
Dépôt légal : 3e trimestre 1997

Composition et mise en page : PHB, Paris
Imprimé en Chine

SOMMAIRE

Le Monde

du

Thé

L'HISTOIRE DU THÉ

LES ORIGINES CHINOISES

L E THÉ est la boisson la plus consommée dans le monde. Derrière ce breuvage de tous les jours, derrière les boîtes de thé rangées sur les étagères des boutiques, se cache une aventure fascinante et colorée qui tisse sa toile dans l'histoire culturelle et sociale de nombreux pays.

Selon la légende chinoise, cette odyssée captivante débuta au moment où l'empereur Chen Nung – un savant doublé d'un herboriste qui, au nom de l'hygiène, ne buvait que de l'eau bouillie – découvrit les vertus bénéfiques du thé. On dit qu'un jour de l'an 2737 av. J.-C., alors que Chen Nung se reposait à l'ombre d'un théier sauvage, une légère brise secoua les branches et fit tomber quelques feuilles dans l'eau frémissante qu'il avait préparée. Il trouva l'infusion délicieusement désaltérante et énergisante, et c'est ainsi que «naquit» le thé.

Il est bien sûr impossible de savoir si Chen Nung a réellement existé, ou s'il a uniquement été le symbole de l'essor agricole, médical et culturel de la Chine ancienne. La Chine ne fut unifiée qu'au IIIᵉ siècle av. J.-C., il est donc peu probable qu'il y ait eu un empereur en 2737 av. J.-C. Mais, quelles que soient les origines de cette boisson, d'après les spécia-

Chen Nung se repose sous un théier.

listes, le thé était déjà présent en Chine en ces temps lointains.

La première allusion écrite à la feuille de thé date du IIIᵉ siècle av. J.-C. Un célèbre chirurgien chinois en prescrivait alors pour améliorer le pouvoir de concentration et la vivacité de l'esprit. À la même époque, un général de l'armée, se sentant vieux et déprimé, demanda à son neveu de lui envoyer du «vrai thé». L'apparition même du mot thé, *tu*, dans les récits anciens prête à confusion, car ce caractère chinois était utilisé à la fois pour le thé et pour une autre plante, le laiteron; seule la prononciation permit de faire une distinction, après qu'un empereur de la dynastie Han (entre 206 av. J.-C. et 220 apr. J.-C.) eut ordonné que le caractère fût prononcé *cha* lorsqu'il faisait référence au thé. À compter du VIIIe siècle apr. J.-C., il devint plus simple de retracer l'histoire du thé : le caractère perdit une barre et se singularisa ainsi.

Jusqu'au IIIe siècle apr. J.-C., cette boisson préparée avec les feuilles du théier sauvage

L'idéogramme chinois signifiant «thé».

servit de médicament ou de tonique. Pour satisfaire une demande toujours croissante, les paysans commencèrent à cultiver du thé sur leurs parcelles et mirent au point un procédé de séchage et de traitement.

Aux IVe et Ve siècles, le thé devint très populaire, et de nouvelles plantations virent le jour sur les collines surplombant le Yang Tsé-kiang. Le thé était un cadeau apprécié des empereurs; on en trouvait aussi dans les tavernes et chez les marchands de vin. On l'utilisa pour faire du troc avec les Turcs en 476 apr. J.-C. (sous la forme de briques de thé compressé fabriquées à partir de feuilles vertes passées à la vapeur). Les marchands de thé s'enrichirent. Les potiers, les forgerons et les négociants en argent se lancèrent dans la fabrication d'ustensiles raffinés qui reflétaient la richesse et le statut de leurs possesseurs.

Les années fastes de la dynastie Tang (618-907 apr. J.-C.) correspondent pour beaucoup à «l'âge d'or» du thé, qui n'était plus seulement un remède : on en buvait aussi pour le plaisir ou pour ses vertus fortifiantes. La préparation et le service du thé donnèrent lieu à un véritable cérémonial. Sa culture et son traitement furent soumis à une législation sévère. La récolte faisait l'objet d'une attention toute particulière – l'hygiène et le régime des jeunes cueilleuses étaient contrôlés. L'ail, l'oignon et les épices fortes leur étaient strictement interdits, de peur que l'odeur répandue sur leurs doigts ne contamine les feuilles.

À cette période, un groupe de négociants demanda à l'écrivain Lu Yu (733-804 apr. J.-C.) de préparer le premier livre jamais écrit sur le thé. *Le Classique du thé (Cha King)* décrit le

Séchage manuel du thé dans la Chine du XVIIᵉ siècle.

thé sous tous ses aspects, en s'intéressant aux origines de la plante et à ses caractéristiques, aux différentes variétés, au traitement de la feuille et aux ustensiles nécessaires à l'infusion, à la qualité des eaux selon les lieux, aux vertus médicinales du thé et aux coutumes qui régissent sa consommation.

Sous la dynastie Tang, les jeunes feuilles, une fois cueillies, étaient chauffées à la vapeur, écrasées puis mélangées avec du jus de prune qui servait de liant naturel. La pâte était ensuite versée dans des moules ou transformée en galets, puis mise à cuire. Pour préparer une tasse de thé, on rôtissait le galet jusqu'à ce qu'il soit suffisamment mou pour être réduit en une poudre que l'on faisait ensuite bouillir dans de l'eau.

Dans certaines régions de Chine, on ajoutait du sel qui donnait au thé un arrière-goût amer. On utilisait plus couramment de l'oignon doux, du gingembre, du zeste d'orange, des clous de girofle et de la menthe poivrée, que l'on jetait dans l'eau frémissante juste avant le thé.

Plus tard, sous la dynastie Song (960-1279 apr. J.-C.), on moulait les galets de thé en une poudre très fine que l'on mélangeait à l'eau avec un fouet pour obtenir un liquide mousseux. Après avoir bu la première tasse, on rajoutait de l'eau bouillante, on fouettait à nouveau le liquide et on le buvait. Ce processus pouvait se répéter jusqu'à sept fois avec le même thé. Les assaisonnements épicés de la dynastie Tang furent abandonnés au profit de parfums plus subtils, comme le jasmin, le lotus ou le chrysanthème.

Jusqu'à l'avènement de la dynastie Ming (1368-1644 apr. J.-C.), le thé produit en Chine était du thé vert. Les briques de thé des dynasties précédentes, qui se conservaient bien, avaient servi de monnaie d'échange dans les contrées lointaines. Le thé Ming, lui, n'était pas conditionné en galets. Les feuilles, chauffées à la vapeur puis séchées, perdaient vite leur parfum et leur arôme. À mesure que le commerce avec l'étranger se développait, le thé, sujet à de longs voyages, se devait de garder toutes ses qualités. Les Chinois, soucieux de réaliser des profits, inventèrent deux nouvelles variétés – le thé noir et le thé parfumé aux fleurs. On a cru pendant un temps que le thé vert et le thé noir étaient issus de deux plantes différentes, mais tous les thés proviennent de feuilles vertes cueillies sur le théier. Les producteurs de la dynastie Ming découvrirent qu'ils pouvaient conserver les feuilles en les faisant tout d'abord fermenter à l'air jusqu'à ce qu'elles prennent une couleur rouge cuivré, puis en les cuisant pour stopper le processus naturel de décomposition. Si on commença effectivement à exporter en Europe des feuilles de thé vert en vrac, la tendance s'inversa progressivement lorsque les producteurs Ming eurent adapté leurs méthodes de préparation aux besoins du marché.

DE LA CHINE AU JAPON

L'histoire japonaise relate que, en l'an 729 apr. J.-C., l'empereur Shomu servit du thé dans son palais à une centaine de moines bouddhistes. Les feuilles devaient probablement venir de Chine car, à cette époque, le thé n'était pas cultivé au Japon. On suppose que les premières graines de théier furent importées par Dengyo Daishi, un moine qui séjourna pendant deux ans en Chine (de 803 à 805 apr. J.-C.) pour étudier. De retour au pays, il sema les graines sur les terres autour du monastère. Cinq ans plus tard, il servit à l'empereur Saga le thé qu'il avait récolté. Celui-ci apprécia tellement ce nouveau breuvage qu'il intima l'ordre de cultiver du thé dans les cinq provinces jouxtant la capitale.

Entre la fin du IXe siècle et celle du XIe, les relations entre la Chine et le Japon s'envenimèrent et le thé, considéré comme une denrée chinoise, perdit les faveurs de la cour. Les moines bouddhistes japonais continuèrent cependant à en boire pour stimuler leur esprit et trouver la concentration nécessaire à la méditation. Au début du XIIe siècle, la situation s'améliora. Un moine japonais du nom d'Eisai fut le premier à se rendre à nouveau en Chine, d'où il ramena beaucoup de graines ainsi que du thé vert

en poudre. Il diffusa également les ensei-
gnements de la secte bouddhiste Rinzai
Zen. La consommation de thé et les
croyances bouddhistes se développèrent de
concert. En Chine, le rituel associé à la
dégustation du thé disparut peu à peu, alors
qu'au Japon il se mua en une cérémonie
très élaborée. Aujourd'hui encore, la cérémonie du thé, le *Cha no Yu*, demande un
type de comportement particulier en vue de
créer une ambiance où l'hôte et son invité

atteignent le renouveau spirituel et sont en
harmonie avec l'Univers.

En 1906, Okakura Kakuzo écrivit dans
son *Livre du thé* : «Le théisme est un culte
basé sur l'adoration du beau parmi les vul-
garités de l'existence quotidienne. Il inspire
à ses fidèles la pureté et l'harmonie, le mys-
tère de la charité mutuelle, le sens du
romantisme de l'ordre social.» La cérémonie
du thé, qui traduit l'essentiel de la philoso-
phie japonaise, associe quatre principes :

Takeno Jhooh, célèbre maître de thé japonais.

Publicité pour le thé Fujiyama.

l'harmonie (avec les gens et la nature), le respect (des autres), la pureté (du cœur et de l'esprit) et la tranquillité. Selon Kakuzo, «le rituel du thé est un art de vivre».

La cérémonie, qui peut durer jusqu'à quatre heures, se déroule soit à la maison, dans une pièce réservée à cet usage, soit dans une maison de thé.

LE THÉ ARRIVE EN EUROPE

On ne sait qui, des Hollandais ou des Portugais, furent les premiers à débarquer du thé sur les côtes européennes au début du XVIIe siècle, car les deux pays faisaient du commerce dans la mer de Chine – les Portugais étaient établis à Macao, sur le continent chinois, et les Hollandais à Java. Les Portugais acheminaient les thés chinois vers Lisbonne et, de là, les Hollandais de la Compagnie des Indes livraient la marchandise dans les ports de France, de Hollande et de la mer Baltique. À partir de 1610, les Hollandais transportèrent principalement des thés japonais, mais en 1637 les directeurs de la Compagnie s'adressèrent à leur gouverneur général en ces termes : «De plus en plus de gens apprécient le thé, nous souhaiterions donc que chaque cargaison comprenne des jarres de thé chinois en plus du thé japonais.»

En Hollande, le thé gagna les faveurs de toutes les classes sociales. Les Hollandais en expédièrent aussi en Italie, en France, en Allemagne et au Portugal. Lorsque le thé arriva en Europe, les Français et les Allemands ne l'adoptèrent pas comme boisson quotidienne, excepté dans une région du nord de l'Allemagne, la Frise orientale (où il est encore très apprécié aujourd'hui), et dans la haute société française. Mme de Sévigné raconte dans une de ses lettres que son amie la marquise de La Sablière prenait son thé avec du lait, et que Racine en buvait chaque jour au petit déjeuner. Dès la fin du XVIIe siècle, le café avait supplanté le thé en France comme en Allemagne. C'est en Russie et en Angleterre que le marché du thé s'épanouit pleinement.

Le thé arriva en Russie en 1618, sous forme de cadeau des Chinois au tsar Alexis. Un accord signé en 1689 marqua les prémices d'un commerce régulier, et on vit se diriger vers la frontière des caravanes de 200 à 300 chameaux chargés de fourrures destinées à être échangées contre du thé. Chaque chameau transportait quatre caisses de thé (environ 270 kg), de sorte que le retour vers Moscou s'effectuait lentement – le voyage du producteur chinois au consommateur russe durait de seize à dix-huit mois. Jusqu'au début du XVIIIe siècle, le thé noir fumé qu'affectionnaient les Russes (un mélange encore commercialisé aujourd'hui par de nombreuses compagnies) était onéreux et de ce fait réservé aux aristocrates, mais la marchandise devint ensuite de plus en plus abondante. Dès 1796, les Russes consommaient plus de 6 000 chargements par an. Le commerce par caravane continua jusqu'à la mise en service du Transsibérien (en 1903), qui permit l'acheminement de la soie, du thé et de la porcelaine de la Chine vers Moscou en une semaine seulement.

LA GRANDE-BRETAGNE DÉCOUVRE LE THÉ

Certains Britanniques – membres de la famille royale, aristocrates et marchands – avaient sans doute entendu parler du thé (et peut-être même en avaient-ils goûté) avant qu'il ne fît son entrée officielle à

Le magasin de Thomas Garraway dans Exchange Alley.

Londres en 1658. En septembre 1658, un marchand londonien, Thomas Garraway, fut le premier à annoncer dans l'hebdomadaire *Mercurius Politicus* la vente aux enchères d'une nouvelle denrée, « une boisson chinoise excellente, recommandée par

tous les médecins, que les Chinois appellent *tcha* et d'autres pays *tay*, alias *thé*, vendue à Londres dans un café situé à proximité du Royal Exchange ».

Deux ans plus tard, dans le but avoué d'augmenter les ventes, Garraway rédigea une annonce publicitaire intitulée « Une description exacte de la culture et des vertus de la feuille de thé », qui prétendait : « Le thé soigne presque tous les maux, [...] est un fortifiant et un euphorisant, [...] il soulage le mal de tête, dégage les voies respiratoires, [...] chasse les mauvais rêves, apaise l'esprit, fortifie la mémoire, vainc l'endormissement, [...] soigne les rhumes, l'hydropisie et le scorbut, élimine les infections. »

Le destin du thé en Grande-Bretagne prit un tournant heureux en 1662, lorsque le roi Charles II épousa la princesse portugaise Catherine de Bragance. La nouvelle reine, qui appréciait le thé bien avant d'arriver à la cour d'Angleterre, apporta avec elle une caisse de thé. Elle avait coutume d'en servir à la cour, c'est ainsi que la nouvelle boisson se fit une réputation et que de plus en plus de gens souhaitèrent eux-mêmes y goûter. Mais son prix prohibitif ne la rendait accessible qu'aux personnes fortunées et désireuses de suivre la mode.

Les dames aimaient servir le thé chez elles, alors que les hommes buvaient le leur dans des cafés qui, depuis les années 1650, faisaient partie du paysage urbain. Chacun

Catherine de Bragance.

Thomas Twining,
fondateur de la Tom's Coffee House.

attirait sa clientèle propre – banquiers, agents de change, hommes politiques, journalistes ou poètes. La compagnie d'assurances Lloyds vit le jour dans le café qu'Edward Lloyd tenait dans la City de Londres, et d'où il dressait chaque jour la liste des navires qui quittaient le port et de leurs cargaisons.

En 1706, Thomas Twining, le fondateur de la célèbre compagnie de thé du même nom, ouvrit son propre café, la *Tom's Coffee House*, juste à la sortie des quais, à l'extérieur des anciens remparts de la City. Son affaire prospéra. En 1717, il l'appela *The Golden Lyon*, puis il se fit une rapide réputation en vendant des feuilles de thé en vrac et en servant du thé aux hommes comme aux femmes, sans discrimination (en effet, les femmes n'avaient pas droit de cité dans les cafés ; de toute façon, aucune femme qui se respectait n'aurait mis les pieds dans de tels établissements remplis de fumée et d'alcool, et où fusaient les plaisanteries grivoises).

Le coût élevé du thé était dû à une lourde taxe imposée sur diverses denrées d'usage courant à l'époque de Charles II. Prélevée sur le thé, le café et le chocolat, elle tripla même en quelques années, de telle sorte qu'en 1689 le coût d'une livre du thé le moins cher équivalait presque au salaire hebdomadaire d'un ouvrier. Mais la demande s'intensifia, aussi bien chez les riches que chez les pauvres, et donna naissance à un marché noir très lucratif

– le thé en provenance de Hollande était importé en fraude – qui impliqua de nombreuses personnes, y compris des hommes politiques et des hommes d'Église, pour le stockage et l'écoulement des produits. Afin d'augmenter la quantité et le profit, le thé était souvent mêlé à d'autres feuilles, en particulier de la réglisse et de la prunelle ; les feuilles qui avaient servi étaient séchées et teintées avec de la mélasse, puis séchées, cuites, foulées au pied, passées au tamis et plongées dans du crottin de mouton. Un décret gouvernemental datant de 1725 condamna les contrebandiers et les marchands peu scrupuleux à de lourdes amendes. À partir de 1766, ils encoururent aussi des peines de prison.

Comme le thé vert se prêtait mieux à la contrefaçon que le thé noir, de plus en plus d'amateurs se mirent à consommer des thés noirs déjà traités, introduits sur les marchés étrangers par les producteurs de la dynastie Ming.

Au XVIIIe siècle, le thé devint la boisson la plus répandue en Grande-Bretagne,

Contrebande du thé sur les côtes de Grande-Bretagne au XVIIIe siècle.

remplaçant la bière au petit déjeuner et le gin à toute heure de la journée. La consommation de thé passa de 30 t en 1701 à 2 200 t en 1781, et atteignit 6 800 t en 1791, du fait d'une baisse notable de la taxe en 1784. Les gens buvaient le thé chez eux et dans des «jardins de thé» *(tea gardens)* en vogue depuis peu. Les cafés, fréquentés par des gens oisifs et peu recommandables, avaient fermé leurs portes au début du XVIIIe siècle, et cédé la place à des jardins situés à la ceinture des faubourgs de Londres, où les gens de toutes conditions, y compris les membres de la famille royale, venaient prendre l'air, boire du thé et s'adonner à toutes sortes de distractions. Les plus connus, le *Marylebone*, le *Ranelagh* et le *Vauxhall*, proposaient, outre du thé et d'autres rafraîchissements, des concerts, des feux d'artifice, des illuminations, des promenades à cheval ou en bateau, des jeux d'argent, des terrains de boules ainsi que des salles de danse avec orchestre. Mais l'expansion rapide de la ville de Londres au début du XIXe siècle et l'émergence de divertissements plus palpitants entraînèrent la fermeture de tous les *tea gardens.*

LE THÉ DE L'APRÈS-MIDI

Jusqu'à l'aube du XIXe siècle, le thé se buvait à n'importe quel moment de la journée et particulièrement en digestif après le repas du soir. Le «thé de l'après-midi» *(afternoon tea)* ou thé de 5 heures, tel que nous le connaissons aujourd'hui, n'existait pas encore. C'est Anna, la septième duchesse de Bedford, qui instaura ce rituel typiquement britannique, pour calmer la «sensation angoissante» qu'elle éprouvait en milieu d'après-midi, pendant ce long laps de temps qui sépare le déjeuner léger de midi du dîner servi à une heure tardive. Pour assouvir sa faim, elle demanda à sa femme de chambre de lui apporter une théière accompagnée d'un petit en-cas. Elle trouva cette coutume si agréable qu'elle invita ses amies à se joindre à elle. Très vite, la bonne société londonienne se laissa tenter par ces petites réunions où l'on buvait du thé en mangeant des sandwiches fins et des petits gâteaux, en discutant de tout et de rien. Les orfèvreries, les manufactures de porcelaine et de linge de table se mirent à fabriquer les ustensiles nécessaires à ces thés raffinés. On trouva dans les livres de cuisine des conseils sur la manière de préparer et de servir le thé, sur l'organisation des réceptions et le choix des mets appropriés. Le thé mondain de 5 heures ne devait en aucun cas se confondre avec le *high tea* que prenaient les ouvriers vers 17 h 30 ou 18 heures, après leur longue et dure journée de travail à l'usine, à la mine ou au bureau – un repas solide et copieux composé d'aliments aussi bien sucrés que salés, et arrosé de thé.

LES GUERRES DE L'OPIUM ET LE THÉ DE L'EMPIRE

À mesure que la consommation de thé s'accroissait, les importations en provenance de Chine revenaient de plus en plus cher à la Grande-Bretagne. En outre, la Chine n'avait aucun besoin de la seule denrée que la Grande-Bretagne avait à offrir en échange, le coton. Dès 1800, l'opium fournit une solution au problème. Les Chinois voulaient de l'opium (malgré une loi de 1727 qui en interdisait l'importation), et les Britanniques puis les Portugais prirent part au trafic. La Compagnie des Indes orientales cultivait l'opium au Bengale (qui était alors une colonie britannique), le vendait aux Chinois contre de l'argent par l'intermédiaire de grossistes de Calcutta, et payait le thé avec ce même argent.

Malgré les pénalités de plus en plus sévères infligées par le gouvernement, ce

La salle des ventes de la Compagnie des Indes orientales.

commerce illégal continua jusqu'à ce qu'en 1839 un fonctionnaire chinois, Lin Zexu, déverse 20 000 caisses d'opium sur une plage près de Canton, où l'eau de mer le rendit inutilisable. Un an plus tard, la Grande-Bretagne déclara la guerre à la Chine, qui répliqua en imposant un embargo sur toutes les exportations de thé.

À la lumière des difficultés rencontrées avec la Chine, la Grande-Bretagne avait depuis quelque temps envisagé de produire du thé dans d'autres lieux. Le nord de l'Inde paraissait particulièrement propice du fait du climat et de l'altitude. À la suite de la découverte de théiers dans le haut Assam en 1823, Charles Bruce, un fonctionnaire de la Compagnie des Indes, créa de petites plantations et finit par persuader ses employeurs (qui avaient toujours été des inconditionnels des graines chinoises) de cultiver la variété d'Assam à l'échelle industrielle. Le première cargaison de thé «Assam» arriva à Londres en 1838. La Assam Tea Company, fondée en 1840, s'implanta bientôt dans d'autres régions du nord de l'Inde.

Dans les années 1870, Ceylan devint également une importante région productrice de thé, après que les mauvaises récoltes de café de 1860 eurent décidé les planteurs à opter pour le thé à la place du café. Un des premiers fut l'Écossais James Taylor qui, grâce à des méthodes d'avant-garde, fit du thé la principale culture d'exportation de Ceylan.

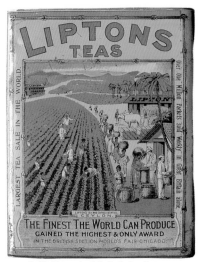

Publicité pour les thés de Ceylan Lipton.

Par la suite, la venue dans l'île d'un novice du commerce du thé lui garantit le succès. À l'âge de quarante ans, Thomas Lipton était déjà millionnaire grâce à son commerce d'alimentation, célèbre pour ses jambons et ses fromages. Il possédait des épiceries dans toute l'Angleterre, dont plus de 70 à Londres même. Lipton, qui avait toujours été heureux en affaires, fit lors de sa visite sur l'île l'acquisition de plusieurs plantations. Il s'aperçut qu'en produisant lui-même son thé et en le commercialisant directement dans ses épiceries, il pouvait baisser le prix du thé tout en dégageant un excellent bénéfice. Grâce à des campagnes publicitaires vigoureuses, il fit en sorte que le nom de Lipton devienne synonyme de thé dans le monde entier.

La consommation de thé en Grande-Bretagne passa de 11 000 t en 1801 à 118 000 t en 1901, et les thés de Ceylan et d'Inde supplantèrent peu à peu le thé de Chine. Les importations de thé en provenance de Chine, qui avaient culminé en 1886 avec 78 000 t, tombèrent à 6 000 t en 1900, ce qui équivalait seulement à 7 % du montant total des importations. En 1939, les importations chinoises ne représentaient plus que 600 t. Elles augmentèrent cependant dans les années soixante-dix, et en 1978 la Grande-Bretagne consommait à nouveau 6 800 t de thé de Chine. Aujourd'hui, les clients principaux de la Chine sont le Maroc et les États-Unis.

LES CLIPPERS

Les bateaux de la Compagnie des Indes, transportant de lourdes cargaisons de thé et d'accessoires divers, mettaient de douze à quinze mois pour rallier Londres. En 1845, le premier clipper américain fit l'aller et retour au départ de New York en moins de huit mois, ce qui constituait une menace pour les armateurs britanniques. En 1850, le premier clipper britannique, le *Stornaway*, fut construit à Aberdeen, suivi par de nombreux autres voiliers du même type, fins de carène, très toilés, dont la vitesse moyenne atteignait 18 nœuds. Les clippers pouvaient transporter plus d'un

Le tea clipper Great Republic.

demi-millier de tonnes de thé chacun. Dans les ports chinois, les caisses de thé étaient chargées avec méthode par des dockers indigènes. La stabilité des cargaisons contribuait à augmenter la rapidité des bateaux, et à réduire les dangers représentés par les moussons, les courants, les récifs, les tempêtes et les pirates.

Plusieurs clippers quittaient la Chine en même temps et faisaient la course jusqu'à Londres, où s'engageaient des paris. Le thé arrivé le premier était acheté plus cher, et l'équipage lauréat recevait une récompense. La course la plus mémorable eut lieu en 1866. Quarante vaisseaux y participèrent, qui voguèrent presque de front. Trois d'entre eux touchèrent terre en même temps, quatre-vingt-dix-neuf jours après avoir hissé la voile.

La dernière des courses eut lieu en 1871, date à laquelle les bateaux à vapeur (steamers) succédèrent à la plupart des clippers. Plus tard, l'ouverture du canal de Suez réduisit encore la durée du voyage entre l'Europe et l'Asie de plusieurs semaines.

LES SALONS DE THÉ ET LES THÉS DANSANTS

Après la fermeture des jardins londoniens, il ne resta guère d'endroits où prendre le thé, si ce n'est chez soi, jusqu'à l'ouverture en 1864 du premier salon de thé dans l'arrière-salle d'une boulangerie. Cette initiative fut couronnée de succès et d'autres sociétés productrices de tabac, de thé ou de gâteaux ouvrirent des salons de thé à Londres et dans toutes les autres villes de Grande-Bretagne. Ces établissements très populaires drainaient une clientèle hétéroclite. On y servait des mets sucrés ou salés, chauds ou froids, accompagnés d'une tasse de thé, le tout pour un prix modique et souvent en musique.

Sortir pour prendre le thé devint une mode qui atteignit son apogée à l'époque edwardienne (1901-1914), quand les hôtels de Londres et d'ailleurs se mirent à servir dans leurs salons des thés de 5 heures copieux et raffinés, avec un orchestre pour assurer l'accompagnement musical. En 1913 naquit la vogue des thés dansants, qui coïncida avec le tout nouvel engouement manifesté par les Londoniens pour le tango, cette danse sensuelle venue d'Argentine. Dans tous les coins de la capitale, les hôtels, les théâtres et les restaurants accueillirent des cours de tango et des thés dansants auxquels il était toujours de bon ton d'assister. Dans les journaux, on parlait de « la folie des *tango teas* ».

Le salon de thé à College Farm, Londres.

Après les deux guerres, avec l'évolution des comportements sociaux et du mode de vie, le thé céda la place aux cocktails, puis l'entrée en scène des fast-foods et des cafés entraîna le déclin des thés en ville. Les Britanniques continuèrent bien sûr à boire du thé chez eux et à leur travail, mais il fallut attendre les années quatre-vingt pour assister à un regain d'intérêt pour le thé et l'heure du thé, qui remit au goût du jour les salons de thé.

LE THÉ EN AMÉRIQUE DU NORD

Le thé se répandit inévitablement en Amérique du Nord avec les flots d'immigrants européens. New York (la Nouvelle-Amsterdam du temps des Hollandais), qui perpétuait les mêmes rituels qu'en Grande-Bretagne, en Hollande et en Russie, était la ville de l'amateur de thé par excellence.

Caisses de thé jetées par-dessus bord dans le port de Boston.

Comme il était difficile de se procurer de l'eau potable de qualité, on installa des pompes à eau spéciales tout autour de Manhattan. Les cafés et les *tea gardens* se multiplièrent. New York se dota de trois *Vauxhall*, d'un *Ranelagh* et d'autres encore portant les mêmes noms que leurs homologues londoniens.

Dans les villes, l'heure du thé présentait le même raffinement qu'en Europe. À Philadelphie et à Boston en particulier, le thé, l'orfèvrerie et la porcelaine de grand prix étaient des signes extérieurs de richesse. Dans les familles moins fortunées, le fait de boire du thé était une preuve de bonne éducation et de savoir-vivre.

Au début du XVIIIe siècle, les quakers buvaient le thé, « qui rendait gai sans enivrer », avec du sel et du beurre, alors qu'en Nouvelle-Angleterre le thé vert de Chine, généreusement parfumé, était très apprécié. Dans les campagnes, une théière restait en permanence sur le poêle, prête à l'emploi, pour la famille après les travaux des champs ou pour les visiteurs éventuels.

L'épisode de la Boston Tea Party mit fin à la relation privilégiée que l'Amérique entretenait avec les Britanniques et leur thé. Une nouvelle taxe sur le thé, imposée par le gouvernement britannique en 1767 afin de subvenir aux besoins de l'armée et des fonctionnaires de la Couronne dans les colonies, déclencha la révolte. Le thé de la Compagnie des Indes étant le seul qui pût être légalement importé et vendu en Amérique, il n'y avait aucun moyen d'échapper à la taxe. Moins de deux ans après, la plupart des ports américains boycottaient le thé anglais. Les passions s'exacerbèrent lorsque les Britanniques firent partir de Londres sept cargaisons de thé. À New York et à Philadelphie, des manifestants empêchèrent les vaisseaux d'accoster, alors qu'à Charleston les douaniers saisissaient la cargaison. À Boston,

après une agitation qui dura plusieurs semaines, le *Dartmouth*, navire britannique ancré dans le port, fut pris d'assaut par un groupe d'hommes déguisés en Peaux-Rouges aux cris de : «Le port de Boston est une théière ce soir!» Dans les trois heures qui suivirent, ils jetèrent 340 caisses de thé par-dessus bord. La fermeture du port de Boston par le gouvernement britannique et l'arrivée de l'armée furent à l'origine de la guerre d'Indépendance… et de la passion des Américains pour le café.

D'OÙ VIENT LE MOT THÉ ?

Avant que le mot the apparaisse dans la langue française, la feuille de thé était appelée *tcha, cha, tay* et *tee*. Le mot thé ne vient pas du mot mandarin *cha*, il est issu du mot amoy (dialecte chinois) *t'e*. Cela date de l'époque où les bateaux hollandais rencontraient les jonques chinoises près du port d'Amoy, dans la province chinoise du Fujian. Le mot devint *thee* en hollandais ; comme les Hollandais furent les premiers à introduire le thé en Europe, le nouveau produit s'appela *tee* en allemand, *te* en italien, en espagnol, en danois, en norvégien, en suédois, en hongrois et en malais, *tea* en anglais, *thé* en français, *tee* en finlandais, *teja* en letton, *ta* en coréen, *tey* en tamoul, *thay* en cingalais, et *Thea* pour les scientifiques.
Le mot mandarin *cha* devint *ch'a* en cantonais et *cha* en portugais (lors du commerce avec Macao, qui parlait le cantonais), de même qu'en persan, en japonais et en hindi ; il devint *shai* en arabe, *ja* en tibétain, *chay* en turc et *chai* en russe.

La Production de Thé

La plante

L'ARBRE À THÉ *(Thea sinensis)* est une plante à feuilles persistantes de la famille des *Camelliae*. Les botanistes reconnaissent habituellement trois variétés étroitement liées – le théier de Chine, le théier d'Assam et le théier du Cambodge –, toutes commercialisées.

Camellia sinensis, l'arbuste chinois, atteint une hauteur comprise entre 2,70 et 4,50 m. Il croît en Chine, au Tibet et au Japon, supporte des températures très basses et donne des feuilles longues de 5 cm pendant cent ans. *Camellia assamica* est plutôt considéré comme un arbre : il atteint une hauteur comprise entre 13 et 18 m, avec des feuilles longues de 15 à 35 cm. Il prospère sous des climats tropicaux et produit pendant environ quarante ans. La variété cambodgienne, *Camellia assamica subspecies lasiocalyx*, de 4,50 m de haut environ, sert essentiellement à la production d'hybrides.

La plante donne des feuilles vert foncé brillantes et coriaces, ainsi que de petites fleurs blanches de 2 à 3 cm de diamètre environ, pourvues de six ou sept pétales, semblables aux fleurs de jasmin. Le fruit évoque la noix muscade et contient de une à trois graines. Les climats les plus favorables sont ceux où la température est comprise entre 10 et 29 °C, l'altitude entre 300 et 2 000 m, et où la pluviosité varie entre 2 000 et 2 300 mm par an. Cette association altitude/humidité favorise la croissance lente souhaitée. Plus l'altitude est élevée, plus le thé est parfumé et meilleure sera sa qualité. Nombreux sont les thés parmi les plus célèbres du monde – les

La délicate fleur de Thea sinensis.

Ceylan High-grown, les Wuyi de Chine, les meilleurs Darjeeling d'Inde – à être cultivés au-dessus de 1 200 m d'altitude.

Comme pour le vin, la saveur finale du produit et sa qualité sont tributaires de plusieurs facteurs : le climat, la nature du sol, l'altitude, les conditions atmosphériques, le moment de la récolte, ainsi que la méthode de traitement, le mélange, le conditionnement, le transport et la conservation.

LA COMPOSITION DU THÉ

On trouve plusieurs composants chimiques dans les feuilles de *Camellia sinensis* (dont des acides aminés, des hydrates de carbone, des ions minéraux, de la théine et des polyphénols), qui donnent au thé sa couleur et son parfum caractéristiques. Les feuilles contiennent aussi de 75 à 80 % d'eau, proportion qui, pendant les premiers stades de fabrication (le flétrissage), est réduite à 60-70 %. Lors de la fermentation du thé noir et de l'Oolong, les polyphénols du groupe des flavanols (ou catéchines) s'oxydent au contact de l'oxygène de l'air, et sont à l'origine de la couleur et du parfum uniques de cette infusion. Le processus de dessiccation (séchage) met fin à l'action de l'enzyme qui cause l'oxydation, et diminue aussi la quantité d'eau pour n'en laisser que 3 % environ.

L'arôme du thé noir est extrêmement complexe. À ce jour, plus de 550 composants chimiques ont été identifiés, dont des hydrocarbures, des alcools et des acides. La plupart se créent durant le processus de fabrication, et chacun d'entre eux enrichit l'arôme du thé de ses qualités propres. Le goût, lui, provient principalement des divers composants polyphénoliques (communément mais incorrectement appelés « tanins ») modifiés par la théine.

La théine est un des principaux composants du thé. Elle agit comme un stimulant doux et augmente l'action des sucs digestifs. Toutes les variétés de thés – vert, Oolong et noir – contiennent de la théine, mais en quantité variable. Le thé vert en contient moins que l'Oolong, et l'Oolong moins que le noir. On estime qu'une tasse moyenne de thé vert contient 8,3 mg de théine, une tasse d'Oolong 12,5 mg et une de thé noir de 25 à 110 mg, alors qu'une tasse de café en contient de 60 à 120 mg. Ceux qui craignent la théine doivent boire les infusions claires et légères obtenues à partir de thés verts ou d'Oolong. Il faut noter aussi que la caféine du café est rapidement assimilée par le corps et entraîne une accélération de la circulation sanguine et de l'activité cardio-vasculaire, alors que les polyphénols du thé sont censés ralentir le processus d'assimilation. L'effet de la théine se ressent plus tardivement mais pendant plus longtemps – c'est pourquoi le thé est une boisson plus fortifiante et astringente que le café.

LES SECRETS DE LA CULTURE DU THÉ

Par le passé, les plants de thé poussaient à partir de graines, mais de nos jours on procède de plus en plus par propagation végétative (bouturage et marcottage) et par clonage de boutures de feuilles. En reproduisant les plantes qui ont un bon rendement et qui résistent à la sécheresse, aux parasites et aux maladies, les producteurs cherchent à obtenir une qualité constante et une plus grande viabilité.

Les jeunes plants sont cultivés en pépinière et repiqués dans la plantation au bout de six mois environ, lorsqu'ils ont atteint 15-20 cm de hauteur. Chaque arbuste dispose d'un espace de 5 m² environ, et pendant deux ans, jusqu'à ce qu'il soit haut de 1,50-1,80 m, il ne sera ni taillé ni récolté. Il est ensuite rabattu à 30 cm du sol, pousse un peu puis est à nouveau taillé chaque semaine afin de ne pas dépasser la hauteur de la ceinture. La cueillette industrielle intervient au bout de trois à cinq ans, selon l'altitude et les conditions météorologiques.

Dans certaines régions du monde, les arbres croissent tout au long de l'année, alors que dans d'autres il existe une période de dormance en hiver. On cueille les feuilles dès l'apparition de nouvelles pousses. Sous les climats chauds, les arbres ont plusieurs périodes

de bourgeonnement, alors que sous des climats plus frais la période de bourgeonnement est unique et plus brève. Les feuilles et les bourgeons des premières récoltes sont très recherchés, mais ce sont les deuxièmes récoltes qui sont censées donner les meilleurs thés. Pour obtenir un thé d'excellente qualité, les cueilleuses prélèvent seulement deux feuilles et un bourgeon sur chaque nouvelle

pousse et les placent dans des sacs ou des paniers accrochés dans leur dos.

Dans certaines régions, la récolte est mécanisée à cause du manque de main-d'œuvre. Des moissonneuses et des tracteurs spécialement adaptés ou des cisailles actionnées à la main ont remplacé la cueillette manuelle traditionnelle, très qualifiée. La qualité du thé s'en ressent inévitablement – les thés produits de cette façon sont utilisés pour les mélanges. Parallèlement, des recherches sont en cours pour améliorer la cueillette mécanique.

Page ci-contre, en haut : jeunes plants dans une pépinière ; en bas : taille d'un jeune arbuste. Ci-dessus : après la cueillette, les fleurs et les bourgeons sont transportés dans des paniers pour être pesés. Ci-contre : cueillette manuelle.

LA FABRICATION DU THÉ

On croyait jadis que le thé vert et le thé noir provenaient de deux plantes différentes. Mais ce n'est que le mode de fabrication qui différencie les variétés – thés blanc, vert, semi-fermenté, noir, parfumé et compressé –, comprenant elles-mêmes plusieurs catégories, ce qui donne au total plus de 3 000 thés dans le monde entier.

LE THÉ BLANC

Il est produit à très petite échelle en Chine (dans la province du Fujian) et au Sri Lanka. Les nouveaux bourgeons, cueillis avant d'être épanouis, sont soumis au flétrissage afin que l'humidité naturelle s'évapore, puis au séchage. Les bourgeons ont un aspect argenté (on les appelle parfois « pointes d'argent », *silver tips*) et donnent une infusion cristalline couleur mandarine pâle.

LE THÉ VERT

On appelle souvent les thés verts thés « non fermentés ». Les feuilles fraîchement cueillies sont séchées, puis torréfiées à très forte température pour empêcher la fermentation (ou oxydation) qui ferait pourrir la feuille. En Chine, le traitement du thé reste encore traditionnel et demande beaucoup de main-d'œuvre. Certaines manufactures ont cependant opté pour un traitement mécanisé. Selon la méthode traditionnelle, les feuilles vertes fraîches sont étalées en fine couche sur des plateaux de bambou et exposées au soleil ou à l'air chaud pendant une heure ou deux. Elles sont ensuite versées (par petites quantités successives) dans des plats chauds où on les remue vivement à la main. Elles deviennent moelleuses et douces à mesure que l'humidité s'évapore (pour certains thés verts de Chine, les feuilles sont chauffées à la vapeur). Au bout de cinq minutes, les feuilles ramollies sont roulées en boules sur des tables de bambou (dans les

Pai Mu Tan Impérial, un thé de Chine.

Matcha Uji, un thé vert japonais en poudre.

grandes fabriques, on le faisait avec les pieds), puis elles sont mises à nouveau dans les plats chauds et remuées rapidement avant d'être roulées une deuxième fois ou simplement séchées. Au bout d'une à deux heures, les feuilles prennent une couleur vert fade et ne subissent plus de transformations.

Au Japon, les feuilles sont rapidement chauffées sur un tapis roulant. Elles deviennent ainsi souples et tendres, prêtes à être roulées. On les fait refroidir puis on les roule à nouveau, on les tord et on les fait sécher, cela à plusieurs reprises, jusqu'à ce que toute l'humidité soit évaporée. On les roule une dernière fois pour leur donner une forme définitive, puis on les fait sécher. On les fait ensuite refroidir avant de les emballer dans des conteneurs hermétiques et de les expédier. Certains thés japonais sont toujours traités à la main, même si la plupart des manufactures sont maintenant mécanisées.

LE THÉ SEMI-FERMENTÉ

Le thé semi-fermenté – dont font partie les Oolong – est fabriqué essentiellement en Chine et à Taiwan (que l'on appelle toujours Formose dans la terminologie propre au thé).

Pour le thé Oolong de Chine, les feuilles ne doivent pas être cueillies trop tôt et il est essentiel de les traiter immédiatement après cueillette. Elles sont tout d'abord flétries au soleil, puis agitées dans des paniers de bambou afin que leur bordure se tale légèrement. Elles sont ensuite alternativement remuées et

Fenghuang Dancong, un thé Oolong de Chine.

séchées jusqu'à ce qu'elles s'éclaircissent. Les bordures prennent une teinte rouge due à la réaction à l'oxygène.

Cette phase de fermentation ou d'oxydation est interrompue au bout d'une heure et demie à deux heures (12-20%) pour passer à la dessiccation. Les Oolong sont toujours des thés à feuilles entières, non roulées. Les Oolong de Formose, soumis à une période de fermentation plus longue (60-70%), sont plus noirs d'aspect que les Oolong de Chine. Ils donnent une infusion riche, d'une couleur plus sombre que celle brun orangé des Oolong de Chine.

Le Pouchong est une autre variété de thé peu fermenté, soumis à une fermentation moins longue que celle des Oolong, et qui constitue presque une catégorie particulière, à mi-chemin entre le thé vert et l'Oolong. Originaire de la province de Fujian, il est maintenant cultivé à Taiwan. Il sert souvent de base pour le thé au jasmin et d'autres thés parfumés.

LE THÉ NOIR

Les méthodes et les variétés diffèrent selon les régions productrices, mais le traitement du thé se déroule toujours en quatre phases : flétrissage, roulage, fermentation et dessiccation. Selon la méthode traditionnelle (utilisée en Chine, à Taiwan, dans certaines régions d'Inde, au Sri Lanka, en Indonésie), qui donne des particules de feuilles plus grandes, on étale les feuilles au soleil (ou à l'ombre pour les variétés plus fines) afin qu'elles se fanent et deviennent suffisamment souples pour être roulées sans que la surface se fende. La feuille flétrie est ensuite roulée afin de libérer les composants chimiques indispensables à l'obtention de la couleur et du goût finals. Cette opération s'effectue à la main dans certaines fabriques, mais la plupart sont équipées de machines Rotorvane qui pressent à peine la feuille. Les feuilles de thé ainsi roulées sont ensuite brisées et le thé est étalé en couche mince sur des planches, des claies ou des plateaux, dans un lieu frais et humide. Elles y séjournent de trois heures et demie à quatre heures et demie afin d'assimiler l'oxygène, qui procurera une teinte rouge cuivré (fermentation).

La feuille est ensuite soumise à la dessiccation, qui stoppe sa décomposition. À ce

Ndu, un thé du Cameroun.

stade, la feuille devient noire et dégage la senteur spécifique du thé. Pour la dessiccation, on installait de grandes marmites sur des feux. Cette méthode a encore cours dans certaines fabriques chinoises, mais la plupart des producteurs font passer le thé dans des tunnels d'air chaud ou le sèchent dans des fours.

La méthode CTC (*cut, tear, curl* – broyage, déchiquetage, bouclage) donne des particules plus petites, qui infusent plus rapidement et sont idéales pour remplir les sachets. Les feuilles flétries passent entre deux rouleaux tournant en sens inverse et à des vitesses différentes. Avec le *legg-cutter*, elles sont comprimées, agglutinées puis désintégrées en minuscules particules. La suite du traitement est identique à celui des thés noirs orthodoxes.

LE TRAITEMENT DU THÉ NOIR

Les feuilles sont étalées sur de longs plateaux.

Lors du roulage, la machine presse à peine les feuilles.

Les feuilles brisées sont préparées pour la fermentation.

En séchant, les feuilles deviennent noires.

La machine CTC broie et déchire les feuilles en petits morceaux.

LES THÉS PARFUMÉS

Pour obtenir des thés parfumés, on utilise du thé vert, Oolong ou noir. Après traitement et avant conditionnement, les feuilles reçoivent un arôme supplémentaire. Pour le thé au jasmin, on ajoute les fleurs entières au thé vert ou noir ; pour le Pouchong ou le Congou à la rose, on mélange des pétales de rose avec de l'Oolong de Chine ou de Formose, ou avec du thé noir. Les thés parfumés aux fruits sont généralement obtenus en mélangeant les huiles essentielles de fruits aux feuilles de thé. Il ne faut pas confondre les tisanes ou les infusions aux herbes, aux fruits ou aux fleurs, qui ne contiennent pas de feuilles de *Camellia sinensis*, avec les thés parfumés.

Thé de Chine parfumé à l'orchidée.

LES THÉS COMPRESSÉS

Sous la dynastie Tang, les producteurs chinois fabriquaient des galets ou des briques de thé solides en passant d'abord les feuilles vertes à la vapeur, puis en les compressant et en les faisant sécher. De nos jours, les briques de thé en provenance de Chine consistent en de la poussière de thé qui a été compressée hydrauliquement en plaques de 1 kg environ. On trouve aussi aujourd'hui des petits galets composés de sept couches, des nattes de thé et du thé compressé en forme de nid d'oiseau. Les thés Pu-erh, réputés pour leurs vertus médicinales, sont censés faciliter la digestion, soigner la diarrhée et le cholestérol.

Tuocha Lubao, un thé de Chine compressé.

LES MÉTHODES DE PRODUCTION

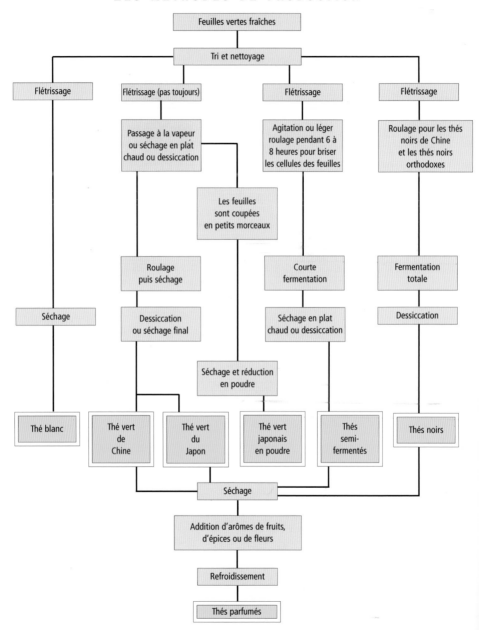

LE THÉ BIOLOGIQUE

La production de thé biologique est relativement nouvelle, puisqu'elle date seulement d'une dizaine d'années. La culture du thé selon les méthodes biologiques est extrêmement compliquée et soumise à un contrôle rigoureux. Les engrais, pesticides et herbicides utilisés ne doivent contenir aucun produit chimique. Les plantations de culture biologique ont pour objectif de sauvegarder la fertilité du sol, de protéger l'environnement et de créer une sorte de micro-système naturel produisant un thé qui puisse être commercialisé de façon rentable sans apport de produits chimiques. Cela ne signifie pas que tous les thés non biologiques contiennent des produits chimiques, mais plutôt que l'on peut produire du thé biologique pour satisfaire les consommateurs de plus en plus nombreux qui, soucieux de l'environnement, apprécient le goût raffiné de certains thés biologiques produits aujourd'hui en Inde, en Afrique et au Sri Lanka. Le jardin de Makaibari à Darjeeling, reconnu dès 1990 par l'Association des agriculteurs biologiques de Grande-Bretagne, produit des thés très appréciés d'exceptionnelle qualité. Mullootor est un autre jardin de la région de Darjeeling à avoir opté pour le biologique en 1986, et Lonrho en Tanzanie produit du thé biologique depuis 1989. Au Sri Lanka, la plantation Needwood produit aussi des thés biologiques.

Épandage d'engrais biologique dans une plantation de thé en Tanzanie.

LA CLASSIFICATION

La dernière opération de traitement consiste à trier la feuille de thé. Lorsque les feuilles sortent des séchoirs ou des fours, elles passent dans des machines à cribler ou sur un long tamis équipé de grillages de tailles différentes. Les experts procèdent à une classification non pas selon la qualité ou le goût, mais selon l'aspect et la nature des feuilles (ou particules de feuilles). Toutefois, les grades les plus fins donnent presque toujours des thés de meilleure qualité. Il existe deux classes principales : les thés à feuilles entières et les thés à feuilles brisées *(broken)*.

La classification par grades est une phase décisive du processus de fabrication du thé, car, lorsque le thé infuse, son intensité, sa saveur et sa couleur se diffusent plus ou moins rapidement dans l'eau chaude selon la taille de la feuille – plus la feuille est grande, plus le thé infusera lentement, et inversement. Il est important de préparer une théière avec des morceaux de feuilles de taille identique. Quand on mélange différentes variétés de thés, chaque lot utilisé doit contenir des particules de taille régulière, faute de quoi les particules plus petites tomberaient au fond et créeraient un déséquilibre.

La terminologie de la classification se base sur la taille de la feuille. Il s'ensuit parfois que des morceaux de tailles diverses issus du même thé seront de qualité égale, si ce n'est que les plus petites particules infusent plus vite. Au sein de chaque grade provenant d'un seul jardin, il peut y avoir des variations de qualité dues aux conditions météorologiques ou au procédé de fabrication utilisé. On ajoute souvent le chiffre 1 aux lettres correspondant au grade pour désigner un thé de toute première qualité.

Machine à trier, qui classifie les feuilles selon différents grades.

TERMINOLOGIE
DE LA CLASSIFICATION

Les grades sont regroupés dans les catégories suivantes :

Flowery Orange Pekoe (FOP)
Ce thé est composé du bourgeon et de la première feuille de chaque pousse.
Le FOP est constitué de feuilles fines et souples, bien enroulées, avec une proportion correcte de *tips*, les fines pointes des bourgeons, qui sont une garantie de qualité.

Golden Flowery Orange Pekoe (GFOP)
Thé FOP avec un nombre important de *golden tips*, les extrémités jaune doré des bourgeons.

Tippy Golden Flowery Orange Pekoe (TGFOP)
Thé FOP de qualité exceptionnelle.

Special Finest Tippy Golden Flowery Orange Pekoe (SFTGFOP)
Le meilleur thé FOP.

Orange Pekoe (OP)
Il est composé de feuilles longues et effilées, plus grandes que celles du FOP, et qui ont été récoltées au moment où le bourgeon donne la feuille. L'OP contient rarement des *tips*.

Pekoe (P)
Ce thé est composé de feuilles plus courtes et plus épaisses que l'OP.

Flowery Pekoe (FP)
Pour ce thé, les feuilles sont roulées en boules.

Pekoe Souchong (PS)
Il est composé de feuilles plus courtes et plus épaisses que le P.

Souchong (S)
Les grandes feuilles sont roulées dans la longueur et donnent des morceaux irréguliers.
Cette appellation est souvent utilisée pour les thés fumés chinois.

Les grades des thés à feuilles brisées ou **broken** *sont regroupés dans les catégories suivantes :*

Golden Flowery Broken Orange Pekoe (GFBOP), Golden Broken Orange Pekoe (GBOP), Tippy Golden Broken Orange Pekoe (TGBOP), Tippy Golden Flowery Broken Orange Pekoe (TGFBOP), Flowery Broken Orange Pekoe (FBOP), Broken Orange Pekoe (BOP), Broken Pekoe (BP), Broken Pekoe Souchong (BPS)

Les Fannings et Dust
Les *Fannings* sont composés de morceaux plats et de poussières fines de thé ; ils sont utiles pour les mélanges destinés à remplir les sachets et qui doivent infuser rapidement. On ajoute aussi le chiffre 1 à la suite des grades de thés à feuilles brisées pour distinguer ceux de qualité supérieure.

Les *Fannings* et les *Dust* sont classés comme suit : **Orange Fannings (OF), Broken Orange Pekoe Fannings (BOPF), Pekoe Fannings (PF), Broken Pekoe Fannings (BPF), Pekoe Dust, Red Dust (RD), Fine Dust (FD), Golden Dust (GD), Super Red Dust (SRD), Super Fine Dust (SFD), Broken Mixed Fannings (BMF)**

LES MÉLANGES

À l'issue des diverses phases de fabrication, les thés sont soit conditionnés et commercialisés sous l'étiquette de thés «de grands jardins» (ou thés «d'origine unique»), soit mélangés avec des thés provenant d'autres jardins, d'autres régions, voire d'autres pays producteurs. Les thés issus d'une même plantation peuvent voir leur goût et leur qualité varier d'une année sur l'autre, en raison des conditions météorologiques ou de changements dans le processus de fabrication. Certains amateurs préfèrent acheter du thé d'origine unique et apprécier

Un mélange par un expert procurera un goût constant.

ses subtiles variations d'année en année. D'autres, en achetant un produit particulier – par exemple un Darjeeling, un Ceylan BOP, un English Breakfast –, aiment savoir que leur infusion aura exactement le même goût. En associant des thés de différentes qualités, les négociants peuvent ainsi garantir une saveur et une qualité constantes d'une année sur l'autre.

Le mélange est un travail d'artiste. Les experts dégustateurs *(tea tasters)* échantillonnent des centaines de thés chaque jour pour trouver les composants d'un mélange (dont chacun peut combiner de 15 à 35 variétés différentes). Lorsque la formule d'un mélange est arrêtée définitivement et qu'elle a été testée sur un échantillon, on procède au mélange «en grand» dans des cuves pour obtenir une quantité de thé de saveur homogène, qui sera ensuite conditionnée dans des sachets, des paquets ou des caisses.

L'ART DE LA DÉGUSTATION

La dégustation est une partie essentielle du travail des courtiers en thés et de ceux qui procèdent au mélange, les experts dégustateurs. Les courtiers goûtent les thés pour déterminer leur valeur avant la vente aux enchères, et les dégustateurs décident quels sont les thés nécessaires à la confection d'un mélange normalisé.

L'expert dégustateur aspire une gorgée de thé, d'un petit coup sec.

Pour préparer les thés destinés à être goûtés, les feuilles sèches sont disposées dans des récipients alignés sur la banque de dégustation. Un échantillon de chaque thé est placé dans une tasse spéciale munie d'un couvercle, puis recouvert d'eau bouillante. Le temps d'infusion est soigneusement chronométré (généralement cinq à six minutes). On verse l'infusion dans des bols en maintenant en place le couvercle qui retient les feuilles. En Grande-Bretagne, les dégustateurs ont l'habitude d'ajouter une petite quantité de lait car la plupart des mélanges destinés au marché britannique seront consommés ainsi. Le dégustateur aspire vivement une gorgée de thé, de façon à mouiller les papilles gustatives, il la fait circuler dans sa bouche pour en apprécier la saveur avant de la recracher dans un crachoir mobile (à roulettes). Le dégustateur prend aussi en compte l'apparence des feuilles sèches puis infusées, ainsi que la couleur et l'arôme de l'infusion.

LE VOCABULAIRE
DES DÉGUSTATEURS DE THÉ

Les dégustateurs de thé et les experts en mélanges *(blenders)* disposent d'une centaine de mots pour décrire l'aspect et la saveur d'un thé. Les plus courants sont les suivants :

altéré : thé à la saveur désagréable, due aux produits chimiques utilisés pour la culture, à l'humidité, à la pollution pendant le transport, etc.

âpre : thé au goût amer, avec peu de force

astringente : liqueur relevée sans être amère

brillante : liqueur qui n'est pas terne

coloré : thé de catégorie spéciale qui donne une liqueur de couleur vive et agréable

corps : un thé qui a du corps donne une liqueur forte et riche

cuivrée : liqueur au goût amer

doux : thé au goût rond et moelleux

floconneux : thé dont les feuilles forment des flocons ou des écailles plutôt que des morceaux entortillés

frais : thé à feuilles vives et fraîches

goûteux : thé qui a une saveur distinguée, savoureuse

granuleux : désigne des Fannings et des Dust de bonne qualité

gris : thé de couleur grise parce qu'il a été trop broyé ou parce que les sucs qui enrobent la feuille ont disparu par suite d'une manipulation excessive pendant le criblage

grossière : liqueur forte mais de qualité médiocre

haché : thé dont les feuilles sont passées dans des machines à broyer au lieu d'être roulées

irrégulier : thé à feuilles ou morceaux de feuilles de taille irrégulière

léger : thé ayant peu de corps à cause d'un flétrissage trop intense, d'un roulage trop court ou d'une température trop élevée lors du roulage

malté : thé avec un soupçon de malt

moelleux : thé doux, velouté, à l'opposé d'âpre

ordinaire : infusion banale, qui manque de caractère

plat : thé qui a perdu sa saveur, qui contient trop d'humidité

régulier : thé à feuilles sensiblement de la même taille

terne : infusion qui manque de brillance, peu attirante

tip : fine pointe des jeunes bourgeons

torsadé : thé aux belles feuilles roulées, opposé au thé à feuilles plates

verdâtre : infusion de couleur vert vif, peu attirante, due à un thé pas assez roulé ou pas assez fermenté

vif : thé bien fermenté et bien séché

vigoureux : thé à grandes feuilles ou avec de grands morceaux de feuilles

LE COMMERCE DU THÉ

Avant les années 1840, époque des clippers, il fallait entre quinze et dix-huit mois pour acheminer à la voile le thé de Chine ou de Java jusqu'à Londres. Les grandes courses du thé, disputées par les clippers, étaient l'objet d'une immense publicité. De nos jours, le transport du thé se fait avec beaucoup moins de panache. Les immenses conteneurs sont remplis dans les pays producteurs (parfois dans les propriétés, mais plus souvent sur les docks), puis chargés sur des porte-conteneurs. Le thé en vrac se manipule avec d'extrêmes précautions et se stocke dans des cuves sèches lors du transport de la planta-

tion ou de la manufacture jusqu'aux compagnies de transit et d'entreposage.

Au début, tout le thé était vendu à des transitaires qui l'expédiaient dans le pays consommateur et le vendaient aux enchères. La première vente eut lieu à Londres le 11 mars 1679, et dès le milieu du XVIIIe siècle des ventes aux enchères de thé de Chine furent organisées chaque trimestre. En 1861, les premières ventes aux enchères d'Inde eurent lieu à Calcutta, et par la suite des centres de vente aux enchères furent créés dans la plupart des pays producteurs – à Colombo en 1883, à Chittagong en 1949, à Nairobi en 1957, etc. Les ventes aux enchères internationales, instaurées en 1982, simplifièrent les transactions en raccourcissant les longs délais de transfert de fonds entre

Le chargement du thé sur un cargo.

l'acheteur et le courtier imposés par les enchères dédouanées.

Aujourd'hui, la moitié environ de la production mondiale de thé est vendue aux enchères publiques – seuls les thés de Chine font exception. Avant la vente, un petit trou est pratiqué dans chaque caisse de thé et des échantillons sont prélevés et envoyés aux acheteurs les plus importants. Si l'acheteur est satisfait du thé qu'il a goûté, il mettra une enchère dessus au moment de la vente. Il arrive que 50 000 caisses de thé (plus de 2 200 tonnes) soient vendues de cette façon. Le plus offrant expédie alors le thé qu'il a acheté pour honorer une commande, ou bien il envoie des échantillons à plusieurs importateurs disséminés dans le monde entier. Enfin, les cargaisons quittent leur pays d'origine pour rejoindre le pays importateur. Si la modernisation suit son cours, les ventes seront retransmises sur écran et les acheteurs n'auront pas à se déplacer.

LE CONDITIONNEMENT

Jusqu'en 1368, le thé de Chine compressé en galets ou en briques se conservait et se transportait aisément. Les pavés, solides, ne risquaient ni de se désintégrer ni de perdre leur arôme. Cependant, l'apparition du thé en vrac sous la dynastie Ming posa de nouveaux problèmes de stockage et d'acheminement.

Les feuilles étaient transportées dans des paniers de bambou (l'arôme n'était guère protégé), puis déversées dans des jarres en faïence extrêmement lourdes ou dans des coffres laqués. Au début du XVIIe siècle, lorsque débuta le commerce avec l'Europe et l'Amérique, les jarres et les paniers, peu fonctionnels, furent remplacés par des caisses ordinaires en bois. Les variétés les plus courantes étaient emballées dans des caisses en bambou tapissées de papier paraffiné, de papier de riz ou de papier de bambou. Les thés de grande qualité étaient emballés dans des coffres laqués décorés ; la règle voulait que les plus petits coffres soient réservés aux thés les plus fins.

Quand la Grande-Bretagne commença à produire du thé d'Assam, elle fit fabriquer des coffres à Rangoon à partir de nécessaires spéciaux contenant des planches coupées à la longueur requise, des feuilles de plomb pour tapisser l'intérieur, et des feuilles de papier argenté pour couvrir le thé. Pour tasser le thé, on le piétinait ou on agitait les coffres. Ces méthodes primitives furent remplacées plus tard par des machines qui faisaient vibrer les coffres pour faire descendre le thé. La feuille d'aluminium se substitua à la feuille de plomb qui, pensait-on, risquait de contaminer le thé.

Les caisses sont de moins en moins utilisées aujourd'hui, mais elles jouent encore un rôle primordial dans le transport des thés à

Caisses servant au transport des thés à grandes feuilles.

grandes feuilles, plus chers, qui pourraient se briser dans les sacs en papier.

Les sacs sont constitués de plusieurs couches de papier épais et doublés d'une feuille d'aluminium qui protège le thé des odeurs et de l'humidité. Les sacs vides, livrés dans les plantations de thé du monde entier, sont remplis et transférés dans des conteneurs prêts à être expédiés ; la manutention s'en trouve grandement facilitée.

Avant les années 1820, le détaillant européen vendait le thé dans des cornets en papier. Selon les goûts des clients, il proposait des thés « purs » ou des thés mélangés. Le premier thé préemballé fut introduit sur le marché par John Horniman, avec l'intention d'inciter les clients à acheter un thé de marque – en l'occurrence, celui qui portait son nom – au lieu de n'importe quelle variété en stock chez le détaillant.

Son idée ne fit pas recette avant les années 1880, période à laquelle la plupart des compagnies commercialisèrent leurs thés de cette façon et lancèrent des campagnes publicitaires qui offraient toutes sortes de cadeaux (des pianos jusqu'aux pensions de veuvage!) pour l'achat de paquets de thé.

Actuellement, on trouve du thé conditionné dans une gamme d'emballages variés en bois ou en métal, joliment décorés. Certaines maisons emballent leur thé sous vide dans le pays d'origine afin de réduire au maximum le risque de détérioration.

Le logo Transfair.

Le système du Fair Trade

Le système du Fair Trade vise à réduire le déséquilibre existant entre les salaires payés aux employés travaillant à la production du thé (en particulier dans le tiers-monde) et les bénéfices réalisés par ceux qui le vendent. Selon le principe du Fair Trade, les négociants achètent directement leur marchandise à des petits groupes de producteurs et la vendent par correspondance. L'argent gagné par les producteurs sert à améliorer la qualité de vie des employés en finançant des caisses de retraite, des stages de formation, des programmes d'aide sociale ou médicale et de réhabilitation de l'environnement. En 1995, par exemple, les premières primes ont été versées à la plantation d'Ambootia à Darjeeling, en Inde, qui en 1968 avait subi un glissement de terrain. Avec cet argent, on s'efforce de remettre en état la partie sinistrée et d'empêcher sa destruction, qui serait une menace pour la totalité de la plantation et pour les employés.

Les thés vendus selon le principe du Fair Trade, provenant de Darjeeling, d'Assam, d'Inde du Sud, du Sri Lanka, du Népal, de Tanzanie et du Zimbabwe, sont distribués dans de nombreux pays dont l'Allemagne, la Suisse, l'Italie, le Luxembourg, la Grande-Bretagne, les Pays-Bas, l'Autriche, le Canada, le Japon et les États-Unis.

L'INDUSTRIE DU THÉ DANS LE MONDE

Au cours des trois ou quatre dernières décennies, la production de thé a augmenté de 156 %, et l'année 1995 a connu une récolte record de 2 900 000 t. Ce résultat est principalement dû à une amélioration des méthodes de production, à des techniques de plantation novatrices, à la culture de clones finement sélectionnés, à une surveillance sérieuse des parasites et des maladies, à un équipement plus performant, ainsi qu'aux progrès de la science et de la technologie. Parallèlement à l'augmentation de la production, la baisse régulière des cours du thé depuis 1963 a soulevé des problèmes dans certains pays producteurs, où les bénéfices ne compensent pas des coûts de production toujours en hausse.

Le rendement de chaque pays subit des fluctuations dues aux conditions météorologiques, à la situation politique et économique, à l'engagement personnel de chaque pays dans la production… Certains pays comme l'île Maurice, l'Ouganda et la Chine sont en train de réduire leur production.

Les modes d'importation et d'exportation ont évolué de façon significative : la demande de la part du Royaume-Uni a notamment tendance à décroître. La Grande-Bretagne est le plus grand consommateur de thé après l'Irlande, mais en 1995 les importations ont diminué de 8 % par rapport à l'année précédente, en partie à cause d'un été très chaud. Aux États-Unis, le total des importations, atteignant 90 000 t, accusait une baisse de 16 % par rapport à 1994, en partie à cause de prévisions trop optimistes concernant la consommation de thés en bouteilles et en canettes.

Le Pakistan, la Russie et les autres pays de la CEI ont augmenté le chiffre de leurs importations, du fait de leur redressement économique et de conditions commerciales avantageuses pratiquées par les pays exportateurs. De plus, la consommation intérieure croissante de l'Inde, de la Chine et d'autres pays d'Asie a contribué à élargir la demande. L'Europe occidentale, dont certains pays comme la France et l'Allemagne manifestent un intérêt grandissant pour le thé, a aussi augmenté ses importations.

Dans tous les pays, le thé est en concurrence perpétuelle avec le café et les boissons non alcoolisées. Mais, chez les véritables amateurs, il existe une meilleure connaissance des nombreuses variétés de thé existantes et une volonté d'en déguster d'autres plus rares.

Le commerce du thé attend avec optimisme que les programmes de recherche en cours sur les bienfaits du thé encouragent les amateurs de thé à accroître leur consommation. Les médias rapportent d'ores et déjà que le thé diminue les risques d'infarctus ou de thrombose.

Les Objets du Thé

Les théières

AU DÉBUT de l'histoire du thé en Chine, on faisait bouillir les feuilles dans un récipient plein d'eau dépourvu de couvercle. Mais, sous la dynastie Ming, la mode voulut que l'on fasse tremper les feuilles dans l'eau bouillante ; on eut alors besoin d'une coupe munie d'un couvercle pour faire infuser le thé et garder la liqueur au chaud. Les aiguières (presque identiques aux théières modernes), qui depuis des siècles servaient en Chine pour verser le vin, furent adaptées pour le thé.

À la fin du XVIe siècle, lorsque les Hollandais commencèrent à transporter des cargaisons de thé de Chine, les théières faisaient partie du voyage. Elles étaient petites, trapues, avec un large bec verseur que les feuilles ne réus-sissaient pas à boucher facilement. La poterie en grès chinoise était inconnue en Europe, et ce n'est que vers la fin des années 1670 que les potiers hollandais purent reproduire ces récipients résistant à la chaleur.

Porcelaine chinoise, vers 1690.

Meissen, vers 1740.

Argenterie anglaise, 1729.

Deux talentueux potiers des Pays-Bas, les frères Elers, exportèrent leur savoir-faire en Angleterre, s'installèrent dans le Staffordshire et devinrent les pionniers de la poterie anglaise.

Les Européens n'avaient jamais non plus entendu parler de cette poterie raffinée et translucide, connue sous le nom de porcelaine, que les Chinois avaient inventée sous la dynastie Tang. Il fallut aux frères Elers et aux autres potiers européens près de cent ans pour découvrir le secret de fabrication de la véritable porcelaine chinoise à pâte dure et de la porcelaine anglaise à pâte tendre. Les potiers britanniques se mirent à fabriquer des services à thé en grès et en porcelaine dure et tendre au XVIIIe siècle, époque où des noms comme Wedgwood, Spode, Worcester, Minton et Derby devinrent célèbres. Ces premiers fabricants éprouvaient quelque difficulté à produire de grandes assiettes et des plats qui ne se voilent pas ou ne se brisent pas à la cuisson, mais les petits ustensiles que l'on utilisait pour le thé étaient faciles à réaliser.

La taille et la forme des théières évoluèrent au fil des ans, au gré des goûts et des modes. Les premières théières, inspirées de la tradition chinoise, étaient décorées de personnages et de symboles mythologiques. Par la suite, elles reflétèrent l'esprit des styles rococo et néoclassique propres au XVIIIe siècle, ainsi que des styles richement ornés de l'ère victorienne. Aujourd'hui, il existe des théières de tailles et de formes variées, fonctionnelles ou très décorées, avec ou sans filtre incorporé. Certaines adoptent des formes originales : animaux, meubles, plantes, véhicules, personnages de la littérature, personnalités du showbiz et de la scène publique...

Porcelaine du Staffordshire,
vers 1900.

Coalport, vers 1800-1805.

Noritake, vers 1930.

LES THÉIÈRES À FILTRE INCORPORÉ

On trouve aujourd'hui sur le marché plu-sieurs modèles de théières en verre équipées d'un infuseur ou filtre incorporé. Il suffit, après avoir ébouillanté la théière, de placer la quantité requise de feuilles dans le filtre et de verser l'eau frémissante par-dessus. Couvrez et laissez infuser. Retirez le filtre dès que le thé vous paraît assez fort.

Ci-dessous : théière en verre Jena et sa veilleuse. Admirée pour son design, elle est exposée au musée d'Art moderne de New York.

En bas : théière moderne avec filtre et verre à thé.

LES THÉIÈRES À PISTON

Avec ce style de théière, l'idée est d'isoler les feuilles après infusion comme le café dans une cafetière.

Une fois que le thé vous semble suffisamment infusé, enfoncez le piston pour éviter tout contact entre les feuilles et l'eau chaude ; ainsi, aucune poussière de thé ne s'échappera dans l'eau. Cette théière est pratique car on ne risque pas de faire goutter le filtre en le sortant.

Théière avec filtre et piston.

LES INFUSEURS

Les théières traditionnelles en sont rarement équipées, mais il existe sur le marché une grande variété d'infuseurs qui peuvent s'utiliser dans les théières de tous styles, ou directement dans les tasses, les bols ou les chopes. Ils sont de grosseurs diverses et fabriqués dans des matériaux variés. Évitez les cuillères à thé, qui emprisonnent les feuilles et les empêchent de libérer leur arôme. Les grandes feuilles se dilatent énormément; si elles n'ont pas la place de se développer, les composants du thé qui donnent du goût à l'infusion ne pourront pas transiter de la feuille à l'eau.

Boule à thé

Infuseur à mailles métalliques

Infuseur à manche

Filtre à thé
en mousseline

Infuseur
à poignée
à ressort

Filtre à thé

Infuseur
de théière

Tasses en porcelaine avec filtre.

LES TASSES À FILTRE

Les tasses à filtre sont un excellent moyen de servir le thé individuellement. Elles s'inspirent de la tasse à infuser chinoise munie d'un couvercle, le *guywan*. Il est recommandé de retirer les feuilles de thé noir ou d'Oolong de l'eau bouillante une fois que la liqueur est infusée.

Ébouillantez la chope avec de l'eau frémissante avant de faire infuser le thé selon l'usage *(voir page 76)*. Placez la quantité de thé souhaitée dans le filtre, puis versez de l'eau bouillante par-dessus pour le thé noir et l'Oolong, et de l'eau à peine frémissante pour les thés vert ou blanc. Une fois que l'infusion est prête, retirez le filtre.

LE GUYWAN (tasse à infuser chinoise)

Le *guywan* (le mot mandarin pour tasse à infuser, *zhong* ou *cha chung* en cantonais) est utilisé en Chine depuis 1350 environ. Il comprend une soucoupe, une tasse et un couvercle qui s'utilisent ensemble. Pour faire infuser le thé noir ou Oolong selon la mode chinoise, il convient d'abord de placer le thé au fond du *guywan*.

Guywan chinois.

Remplissez la tasse d'eau bouillante jusqu'à mi-hauteur et videz-la immédiatement
en tenant la tasse et la soucoupe ensemble et
en retenant les feuilles avec le couvercle.
Retirez le couvercle et humez l'arôme des
feuilles juste «rincées». Si vous faites infuser
du thé vert, omettez cette première étape.

Ensuite, versez de l'eau frémissante dans le
guywan, non directement sur les feuilles,
mais le long des parois. Avec du thé vert, ne
couvrez pas la tasse; laissez-le infuser pendant deux à trois minutes, puis buvez-le.
Avec du thé noir ou de l'Oolong, couvrez la
tasse et laissez infuser pendant le nombre de
minutes requis (consultez le guide).

Pour boire au *guywan*, tenez la soucoupe
dans le creux de la main droite. De la main
gauche, soulevez le couvercle en l'inclinant
légèrement vers le bas afin qu'il retienne les
feuilles pendant que vous aspirez la liqueur.

Avant de tout boire, rajoutez de l'eau
bouillante, toujours en la faisant couler le
long des parois. La troisième eau peut être
versée directement sur les feuilles. Continuez
à boire et à verser de l'eau tant que les
feuilles dégagent un agréable parfum.

LES THÉIÈRES DE YIXING

Depuis l'an 2500 av. J.-C., on fabrique à Yixing,
au sud de Shanghai, de la poterie raffinée.
C'est, dit-on, un moine d'un temple avoisinant
qui aurait créé la première théière de Yixing
non émaillée, en *zisha* (sable pourpre), autour
de l'an 1500. La terre avait la propriété de garder le thé plus chaud que la porcelaine : les
théières brun-rouge ou vertes devinrent très
populaires en Chine comme au Japon. Elles
avaient des formes fantasques – de fleur de
lotus, de narcisse, de fruits, de tronc de bambou – ou bien très simples, qui laissaient la
beauté de la terre parler d'elle-même.

Aujourd'hui, elles sont encore très prisées
par les connaisseurs. La terre non émaillée
est censée mieux révéler l'arôme des thés
chinois, particulièrement fins. Il faut un certain temps pour que les parois intérieures
d'une théière neuve se tapissent d'un dépôt
brun qui donnera son propre parfum au
thé; dans l'idéal, une telle théière en terre
cuite ne devrait être utilisée que pour un
seul type de thé. Faites infuser le thé selon
la méthode habituelle, en observant les
règles d'or *(voir page 76)*.

Théière chinoise de Yixing en terre rouge, décorée de fleurs émaillées.

LES BOLS À THÉ JAPONAIS

Les grands bols à thé qui servent à préparer le thé vert en poudre au Japon se déclinent sous des formes variées. Le bol doit être relativement épais (s'il l'est trop, il ne se réchauffe pas assez ; s'il est trop fin, on ne peut pas le tenir), doux au toucher, assez grand pour que le fouet en bambou puisse être activé librement et avec efficacité. Les ustensiles en *raku* fabriqués au Japon présentent, semble-t-il, les mêmes critères que le bol à thé vert. Quant aux bols fabriqués en Corée, initialement prévus pour le riz, ils sont agréables au toucher et conviennent eux aussi parfaitement.

Pour faire infuser du thé vert en poudre, mettez une bonne cuillerée de Matcha (thé vert en poudre japonais) dans un bol et versez délicatement 8 cuillerées à café d'eau chaude à la température de 85 °C. Battez ce mélange avec un fouet en bambou *(cha-sen)*, jusqu'à obtention d'une liqueur riche et mousseuse.

Bol et fouet japonais utilisé pour battre le thé vert en poudre.

LES COUVRE-THÉIÈRES

Les couvre-théières doivent être utilisés avec précaution. Si on les place sur une théière contenant des feuilles de thé et de l'eau chaude, le thé risque d'être trop infusé et de prendre un goût amer. Il vaut mieux faire infuser le thé avec un filtre et retirer le filtre lorsque le thé vous paraît suffisamment fort, avant de mettre le couvre-théière. Sinon, passez le thé infusé dans une seconde théière préalablement ébouillantée, puis mettez le couvre-théière.

Certains fabricants vendent toujours ce type de théière très populaire dans les années trente et quarante – la théière cosiware –, pourvue d'un filtre encastré dans le col qui s'enlève aisément et d'une enveloppe isotherme en chrome qui permet de garder le thé chaud.

BOÎTES À THÉ
ET DOSEURS À THÉ

Les premiers récipients utilisés pour conserver le thé à domicile étaient les jarres et les bouteilles qui arrivaient de Chine avec les cargaisons de thé. C'était en général des pots petits et renflés, souvent en porcelaine bleu et blanc, munis de couvercles en forme de tasse qui servaient de mesure. Petit à petit, les Européens se mirent à fabriquer toute une gamme de récipients de formes et de tailles diverses – des boîtes, des bouteilles et des pots ronds, carrés ou cylindriques, en argent, en cristal, en grès ou en bois.

Le mot *caddy* ne fut utilisé pour désigner ces boîtes à thé qu'au XVIIIe siècle, lorsque le mot malais *kati* (désignant une mesure de 600 g environ) fut adopté par la langue anglaise. Les coffres à thé du début du XVIIIe siècle étaient divisés en compartiments séparés destinés à recevoir plusieurs sortes de thés et parfois du sucre. Tous étaient munis d'un cadenas ou d'une serrure – la maîtresse de maison en gardait les clés, car c'était elle qui préparait le thé pour la famille et les invités. Le thé était un produit bien trop recherché et coûteux pour le laisser sous la responsabilité des domestiques, aussi le coffre restait-il dans le salon.

Doseurs à thé.

Coffret à thé anglaise d'inspiration militaire, vers 1860. *Coffret à thé en papier filigrané.*

À la fin du XVIIIe siècle et au XIXe, les boîtes et les coffres étaient confectionnés dans des matériaux variés, dont du bois précieux, de l'argent, de l'écaille de tortue, de la nacre, de l'ivoire, de la porcelaine et du cristal. Au XVIIIe siècle, les Chinois commencèrent à fabriquer des récipients en forme de fruits, et on vit apparaître des imitations en bois réalisées en Angleterre et en Allemagne en forme de poire, de pomme, de fraise, d'aubergine, d'ananas et de melon. Certains étaient peints, mais la plupart étaient vernis, et leurs couvercles à charnières se soulevaient pour dévoiler l'intérieur revêtu d'une feuille d'aluminium où l'on remisait le thé. À la fin du XIXe siècle, le thé devenant moins onéreux, l'usage des boîtes munies de serrures se raréfia. Les feuilles de thé furent reléguées dans des boîtes bon marché, dorénavant entreposées à la cuisine.

Les premiers doseurs à thé étaient des louches à long manche qui servaient à prendre le thé dans la caisse qui le contenait. À partir de 1770 environ, des doseurs à manche court firent leur apparition. Destinés à entrer dans des boîtes plus petites, ils avaient souvent la forme d'une coquille Saint-Jacques, car les marchands orientaux avaient coutume de mettre une véritable coquille Saint-Jacques dans les caisses de thé pour permettre aux acheteurs potentiels de prélever des échantillons avant d'acheter. On fabriqua des doseurs en forme de feuille, de gland, de saumon, de chardon et de pelle, mais les formes les plus répandues étaient le coquillage, la casquette de jockey, la main et l'aile d'aigle. Le motif de la coquille Saint-Jacques apparaît aussi souvent sur les cuillères des services à thé, les passoires et les pinces à sucre.

Passoire en bambou

Passoire anglaise

Passoire basculante

Passoires en porcelaine et en argent

LES PASSOIRES

Si vous utilisez du thé en vrac, une passoire est indispensable pour retenir les feuilles tout en versant le thé dans la tasse. On trouve dans le commerce toutes sortes de passoires, dont les plus jolies sont en argent et en chrome. Il est préférable de reléguer à la cuisine les articles en plastique et en acier inoxydable.

L'ancêtre de la passoire à thé actuelle, dont l'usage s'est répandu vers la fin du XVIIIe siècle, était le passe-thé. Ce petit bol percé, pourvu d'un long manche doté d'une extrémité pointue, fit son apparition vers la fin du XVIIe siècle. Il portait aussi le nom de cuillère à olives ou de cuillère à mûres. La pointe servait peut-être à attraper des olives ou des fruits dans un bocal, mais on pense surtout qu'elle permettait de dégager la base du bec de la théière, encombrée de feuilles gorgées d'eau. Cette cuillère servait au départ de doseur, pour transvaser le thé de la boîte à la théière (la poussière de thé tombait alors par les trous), puis pour éliminer les poussières indésirables et les impuretés flottant à la surface de l'infusion. Les passe-thé cédèrent progressivement la place aux passoires.

Les premières passoires étaient en fil métallique ou en bambou tressé ; comme pour tous les ustensiles servant à la préparation du thé, les formes et les styles évoluèrent au fil des siècles pour s'adapter aux différentes modes.

PINCES À SUCRE ET CUILLÈRES À THÉ

L'usage du sucre dans le thé s'est répandu en Grande-Bretagne et dans les colonies vers la fin du XVIIᵉ siècle. À cette époque, on trouvait des pains de sucre en forme de cône qu'il fallait casser avant de se servir. Chaque cuisine était équipée de tenailles en fonte et de petites haches pour casser le sucre à la demande. Pour le thé, ces morceaux étaient placés dans un sucrier et on les saisissait à l'aide de jolies pinces à sucre en argent. Les premières avaient la forme de pinces à charbon miniatures, puis, vers 1720, elles prirent la forme de ciseaux pointus, pour se transformer vers 1770 en des pinces plus pratiques en forme de cuillère.

Les cuillères à thé firent leur apparition avec l'usage croissant du sucre. Elles étaient petites et légères, pour s'accorder avec les bols à thé importés de Chine, eux-mêmes de petite taille : c'était des cuillères à soupe miniature. Vers 1800, avec l'influence française, elles devinrent plus grandes, mais elles retrouvèrent leur taille initiale vers 1870. Les premières cuillères étaient richement ornées et portaient au dos des volutes, des plumes, des feuilles, des emblèmes, des devises et des armoiries. Cette mode s'éteignit au début du XIXᵉ siècle et, à partir de 1850, on revint à des cuillères beaucoup plus simples. Aujourd'hui, les cuillères à thé se vendent généralement par lots de six, accompagnées de pinces à sucre pour servir le sucre en morceaux.

BOLS À THÉ, TASSES ET SOUCOUPES

La première vaisselle à thé utilisée en Europe venait de Chine avec les cargaisons de thé acheminées par bateau au milieu du XVIIᵉ siècle ; c'est à cette époque que le mot *chine* entra dans

Tasse à thé et soucoupe Newhall, vers 1800.

Bol à thé Coalport.

Tasse à thé et soucoupe Staffordshire, vers 1835.

Bol à thé oriental, vers 1900.

Porcelaine anglaise, vers 1930.

Tasse à thé et soucoupe de marque Amherst.

Tasse à thé et soucoupe japonaises.

notre langue pour désigner toute la porcelaine de Chine. Dans la langue anglaise, le mot *china* désigne toujours la porcelaine.

Les premiers bols à thé n'avaient pas d'anses. De plus, ils étaient minuscules, ne contenant que deux à trois cuillerées à soupe de thé. Ils étaient profonds de 5 cm environ et leur diamètre était à peine plus grand. Entre 1650 et 1750, le bol s'agrandit et on parla d'une « assiette » à thé plutôt que d'une tasse. On envoyait parfois des modèles de dessins décoratifs en Chine, alors que la porcelaine de Chine était décorée par les potiers anglais. Les potiers chinois n'avaient pas prévu de soucoupes, mais elles devinrent rapidement des pièces essentielles du service à thé. Aux XVIIIe et XIXe siècles, les soucoupes étaient plus profondes. On pouvait y verser un peu du thé brûlant de la tasse et le faire tiédir avant de le boire.

LE SERVICE À THÉ

Au cours du XIXᵉ siècle, la vogue de l'*afternoon tea* incita les orfèvres, les fabricants de linge de maison et de vaisselle à produire toute une gamme d'ustensiles pour le thé. Au XVIIIᵉ siècle, un service à thé complet comprenait habituellement douze bols ou tasses à thé avec leurs soucoupes, un pot à lait, un sucrier, un bol à déchets, un plateau à cuillères, un dessous de théière, un guéridon, une boîte à thé, un pot à eau chaude, une cafetière, des tasses à café et leurs soucoupes. Au XIXᵉ siècle apparurent des assiettes à dessert et des petites assiettes. On trouvait aussi des pièces de vaisselle en argent comme la théière, le pot à eau chaude, le sucrier et le pot à lait ou à crème, généralement disposés sur un plateau assorti. D'autres services incluaient cuillères à thé, passoires, couteaux à thé, couverts à dessert, nappes et serviettes, napperons, couvrethéières et boîtes à thé.

Service à thé anglais traditionnel.

LE SAVOIR-FAIRE
DU THÉ

ACHETER ET CONSERVER LE THÉ

A VEC l'intérêt croissant qui s'est manifesté pour les thés «de grands jardins» ces dix dernières années, on a vu arriver sur le marché un large éventail de produits nouveaux. Les consommateurs ont la possibilité de se procurer leur thé de trois manières différentes – dans les boutiques spécialisées, dans les grands magasins et les épiceries fines, et par correspondance. Le seul moyen de tester les produits mis à votre disposition est de les goûter.

LES BOUTIQUES SPÉCIALISÉES

Dans les boutiques de renom, les thés de grands jardins à feuilles entières sont conservés dans de grandes boîtes hermétiquement closes et le consommateur les achète au détail. On peut aussi trouver du thé préemballé dans des boîtes ou des paquets, à l'intention de l'acheteur pressé ou pour offrir. Les vendeurs sont censés connaître leurs produits et pouvoir répondre à vos questions. Vous pouvez acheter n'importe quel thé, peu importe la quantité.

Si vous fréquentez le magasin pour la première fois, ne prenez qu'une petite quantité pour commencer. Lorsque vous êtes vraiment sûr qu'un thé est à votre goût, réapprovisionnez-vous. Pour éviter de gâcher

Le comptoir de l'un des magasins Mariage Frères à Paris.

votre thé à la maison, il est préférable d'en acheter peu et souvent.

Demandez aussi à voir le thé avant de l'acheter. Les feuilles sèches doivent être brillantes et avoir un aspect régulier, avec des particules sensiblement de la même taille, sans brindilles ni tiges. Quand on fait infuser les feuilles, la liqueur obtenue doit être cristalline. Les thés noirs donnent une liqueur brillante, un peu rouge, les Oolong donnent une liqueur brun orangé ou brun foncé, et la liqueur des thés verts doit être vert doré. Les thés de bonne qualité ne donnent jamais de liqueurs ternes ou troubles.

Leur goût est rond et frais et, pour les thés verts, très léger. Toute altération, odeur de moisi, fadeur ou saveur trop prononcée, qui ne sont pas normalement associées au thé, sont le signe d'une mauvaise manipulation ou conservation, ou d'une contamination survenue pendant le trajet entre l'arbre et la tasse.

Liqueur de thé noir.

Liqueur de thé semi-fermenté.

Liqueur de thé vert.

LES GRANDS MAGASINS ET LES ÉPICERIES FINES

Ils sont moins habilités à proposer des thés de grands jardins et ne vendent probablement que des thés préemballés. Cependant, on doit pouvoir se procurer des thés de bonne qualité dans les magasins renommés. Si vous n'êtes pas satisfait de votre achat, rapportez-le et expliquez-leur le problème. Si vous vous apercevez que vous avez simplement choisi un thé que vous n'aimiez pas, ne le laissez pas s'éventer sur une étagère de votre placard à provisions, donnez-le à quelqu'un qui saura l'apprécier.

LA VENTE PAR CORRESPONDANCE

Le nombre des sociétés proposant un service de vente par correspondance augmente rapidement, et il est intéressant d'essayer plusieurs thés commercialisés par des sociétés différentes jusqu'à ce que vous ayez trouvé votre bonheur. Le problème des sociétés non spécialisées qui vendent des thés de grands jardins est qu'elles les achètent probablement à des importateurs et n'en écoulent que de petites quantités. Le thé risque de sécher avant même d'avoir été vendu. Soyez vigilant et commandez la plus petite quantité proposée ; encore une fois, si vous n'êtes pas satisfait, changez de fournisseur.

Une fois que vous avez acheté votre thé, il est important d'en prendre soin. Conservez-le dans une boîte hermétique (en métal ou en céramique, mais non en verre) que vous entreposerez dans un lieu frais et sec, à l'écart des aliments très odorants, car le thé s'approprie aisément les autres senteurs.

CHOISIR SON THÉ

La palette des thés est tellement vaste que chacun doit faire son choix en fonction de son goût personnel. Les thés blancs ou les Oolong conviendront à ceux qui aiment un thé très léger, pauvre en théine et à la saveur douce. Les thés verts de Chine ou du Japon plairont à ceux qui aiment la sensation de fraîcheur aromatique que procure le thé vert. Les buveurs de thé noir sauront voir les différences entre la subtilité des thés à grandes feuilles chinois, les infusions plus sombres et plus corsées obtenues à partir de thés à feuilles brisées et de Dust, et les liqueurs robustes obtenues avec les thés CTC*

Lorsqu'il achète du thé, le consommateur doit connaître les grades *(voir page 39)* de

façon à choisir le meilleur thé d'un jardin ou d'une région. Par exemple, si vous cherchez un thé pour l'après-midi, il vaudra mieux prendre un Darjeeling *second flush* FTGFOP à feuilles entières (Finest Tippy Golden Flowery Orange Pekoe), à la saveur délicate, qu'un TGBOP à feuilles brisées (Tippy Golden Broken Orange Pekoe), au goût plus corsé.

---

*CTC : procédé moderne utilisé pour briser les cellules des feuilles de thé ; les thés CTC se présentent sous la forme de fines particules régulières. S'oppose au procédé classique ou orthodoxe.

Classification des feuilles par grade en Chine.

Un détaillant chevronné doit être capable d'expliquer à ses clients les différences qui existent entre les thés qu'il propose et de les conseiller en fonction de leurs goûts. Le client ne dispose pas toujours d'un grand choix, mais il est en droit de penser que la personne responsable des achats a sélectionné les meilleurs thés parmi les nombreuses variétés disponibles sur le marché.

Certains connaisseurs de thé assez fortunés pourront profiter de voyages dans les pays producteurs pour goûter certains thés rares ou exclusifs.

LES THÉS PARFUMÉS ET LES MÉLANGES

Les thés parfumés sont des thés blancs, verts, Oolong ou noirs qui ont été traités puis mélangés à des épices ou à des herbes, à des pétales de fleurs ou à des huiles essentielles de fruits. Dans tous les cas, ces parfums ont été mélangés à des feuilles de *Camellia sinensis* ou de *Camellia assamica* – les thés ainsi obtenus ne doivent pas être confondus avec les infusions à base de fruits ou de plantes, qui ne contiennent pas de thé.

Depuis qu'ils ont découvert le thé, les Chinois le parfument, soit en ajoutant des fleurs ou des fruits aux feuilles déjà traitées, soit en ajoutant des ingrédients supplémentaires – à l'eau qui servira à faire le thé, ou à l'infusion elle-même.

Certains thés chinois ont un parfum naturel d'orchidée sauvage parce que ces fleurs poussent sur les plantations à proximité des théiers. D'autres ont le parfum des fleurs d'arbres fruitiers disséminés dans les plantations qui s'épanouissent au moment où les théiers donnent leurs nouveaux bourgeons. Tous les thés ont la propriété d'absorber sur-le-champ les autres senteurs (c'est pourquoi il faut les conserver loin de tout autre aliment ou produit odorant). Le thé vert est celui qui se parfume le mieux.

Les Chinois ont trois façons de dénommer leurs thés parfumés. Ils utilisent le nom de la fleur qui a servi à le parfumer, par exemple Moli Huacha (thé au jasmin) et Yulan Huacha (thé au magnolia); ou bien le nom du thé non parfumé est précédé de Hua (qui signifie fleur), par exemple Hualongjing et Hua Oolong; ou le nom du fruit, par exemple Lizhi Hongcha (Litchi noir).

En Europe, les *blenders*, ces experts qui procèdent aux mélanges, utilisent généralement le nom du fruit ou de l'épice qui a été ajouté au thé nature (par exemple, thé à la mangue, thé au fruit de la passion), ou bien ils attribuent au mélange un nom particulier – tel Casablanca, thé commercialisé par Mariage Frères à Paris, qui contient de la menthe du Maroc et de la bergamote.

Thés parfumés classiques

Le thé au jasmin

Le thé au jasmin, originaire de Chine (surtout de la province du Fujian) et de Taiwan, est un thé de Chine très prisé depuis la dynastie Song (960-1279 apr. J.-C.). Les fleurs de jasmin, à la senteur délicate, sont cueillies le matin et remisées dans un endroit frais pendant la journée. Le soir, quand elles s'ouvrent, elles sont empilées près du thé vert, Oolong ou noir selon des proportions très précises. Il faut compter environ quatre heures pour que le thé s'imprègne de l'arôme du jasmin. Pour les qualités ordinaires, on étale le thé et on le remet en tas pour le parfumer une deuxième et une troisième fois. Pour les qualités supérieures, on renouvelle ces opérations sept fois de suite sur une période d'un mois. Les feuilles sont ensuite soumises à une seconde dessiccation pour éliminer l'humidité. On peut alors retirer les pétales de jasmin, ou bien les mélanger au

Perles de thé au jasmin.

Thé au litchi.

Thé à l'orchidée.

Thé à la rose.

thé par souci esthétique. Parfois, au lieu d'être entassées à côté, les fleurs sont étalées avec le thé dans des caisses spéciales. Dans certaines manufactures, la mise en tas et le mélange se font mécaniquement.

Le Jasmin Monkey King a un parfum délicieux, sa liqueur est légère, exquise et subtile. C'est une boisson rafraîchissante qui se consomme toute la journée ou le soir, seule ou en accompagnement de mets épicés et de volailles.

La Perle de thé au jasmin est un pur délice, à regarder comme à boire. Des feuilles de couleur pâle, façonnées en grosses perles, sont mélangées à des fleurs de jasmin. On boira ce thé d'excellente qualité, au parfum raffiné et délicat, avec les mets salés ou bien en digestif.

Il existe bien d'autres thés au jasmin qui valent la peine d'être essayés. Cherchez du Jasmin Chung Feng, du Jasmin Heung Pin et du Jasmin Hubei, qui sont des thés verts. Goûtez aussi le Jasmin Pouchong, légèrement fermenté, le Mandarin Oolong, semifermenté, le thé blanc Yin Hao Silver Tip et, pour finir, le Jasmin Yunnan (thé noir).

Le thé au litchi

Le Lizhi Hongcha est un thé noir parfumé au jus de litchi, l'un des fruits les plus répandus en Chine, qui donne une liqueur à la saveur acide, presque citronnée. Il se boit volontiers seul, à n'importe quel moment de la journée ou de la soirée.

Le thé à l'orchidée

Ce thé de qualité supérieure, originaire de la province du Guangdong, est parfumé avec les fleurs de *Chloranthus spicatus*. Il donne une liqueur rouge vif à l'arôme riche. C'est une boisson rafraîchissante et apaisante, qui se consomme à n'importe quel moment du jour ou de la nuit.

Le thé à la rose

Le Meigui Hongcha est un thé noir à grandes feuilles, parfumé avec des pétales de rose. Il donne une liqueur dorée, subtile, à la saveur douce et à l'arôme musqué. Il doit se servir sans lait, pour accompagner des mets légers, salés ou sucrés, ou bien se déguster seul.

Essayez aussi d'autres thés de Chine parfumés, dont ceux au magnolia et au chrysanthème.

THÉS PARFUMÉS ACTUELS

Il existe aujourd'hui de nombreuses variétés de thés «fantaisie». Les parfums les plus répandus et les plus appréciés sont les suivants : le cassis, la cerise, les agrumes – notamment le citron et l'orange (zeste) –, le gingembre, la mangue, le thé vert à la menthe, le fruit de la passion et les fruits rouges.

Il existe également des thés parfumés à base de thés verts japonais, parmi lesquels nous recommandons particulièrement le Rose Sencha et le Sakura (du Sencha parfumé à la cerise).

MÉLANGES CLASSIQUES

Chaque maison crée ses propres mélanges *(blends)* pour satisfaire les goûts les plus divers et s'adapter à tous les moments de la journée. Il n'y a pas de règle absolue quant à leur composition, mais il existe cependant quelques mélanges classiques qui comprennent toujours les mêmes thés.

Le thé Earl Grey

Traditionnellement, c'est un mélange de thés de Chine ou de thés de Chine et de thés indiens parfumés à l'essence de bergamote (extraite du cédrat, un fruit qui ressemble au citron). Les histoires sur l'origine du nom varient quelque peu. Selon l'une d'elles, un diplomate britannique en mission en Chine aurait sauvé la vie d'un mandarin et reçu en échange la recette de ce thé parfumé pour en faire cadeau au Premier ministre de l'époque, le comte Grey (Earl Grey, Premier ministre de 1830 à 1834). Une autre légende veut que le comte lui-même ait sauvé le mandarin et reçu la recette. D'autres assurent encore que ce thé fut offert en remerciement d'une mission réussie. Il convient toutefois de rester circonspect :

Les parfums les plus répandus pour les thés parfumés sont l'orange, le citron, la mangue, la menthe, le chrysanthème, la rose, la cerise, la framboise, la fraise et le gingembre.

Fleur de bergamote.

en premier lieu, les Chinois n'ont jamais bu cette variété de thé parfumé ; en second lieu, les biographies du comte et les livres d'histoire couvrant les relations sino-britanniques entre 1830 et 1834 (période des hostilités dues à la guerre de l'Opium) ne mentionnent jamais un tel cadeau ; enfin, on dit que ce thé pouvait être composé de thé indien comme de thé chinois, mais à cette époque l'Inde ne produisait pas de thé.

Le nom et l'histoire ont peut-être été inventés par la personne qui fut à l'origine du mélange. De nos jours, c'est un thé extrêmement répandu. Plusieurs variétés sont proposées à la vente, qui utilisent du thé de Chine, du Darjeeling, du Ceylan et du thé fumé. La quantité de bergamote varie, ce qui a une influence non négligeable sur le goût final – s'il y en a trop, l'infusion a un goût de savon, s'il y en a trop peu, on a l'impression de boire du thé nature. Un mélange savamment équilibré donne une saveur rafraîchissante, légèrement citronnée, qui accompagne bien les gâteaux à la crème.

Le Yunnan Earl Grey (le roi des Earl Grey) est un thé de Chine noir originaire du Yunnan parfumé à la bergamote, à la saveur délicieusement équilibrée. Il est meilleur servi avec du lait et accompagne bien les plats de poisson, ou se déguste à l'heure du thé.

Le thé English Breakfast

Parce qu'il est destiné à accompagner les aliments gras et frits, comme les œufs au bacon, les plats à la saveur prononcée comme le poisson fumé, le mélange English Breakfast contient habituellement des thés indien (Assam), de Ceylan et d'Afrique. D'aucuns soutiennent pourtant que le China Keemun est le thé idéal pour accompagner les toasts et la confiture.

Le thé Irish Breakfast

Les Irlandais ont toujours apprécié le thé corsé et sombre. Ces mélanges contiennent des Assam riches et maltés, avec parfois des feuilles de thé africain ou indonésien.

Les mélanges de l'après-midi

Ils sont généralement composés de thés plus légers, comme les Darjeeling, les thés de Chine ou de Formose et les thés de Ceylan, parfois additionnés d'une pointe de jasmin et de bergamote.

Le thé goût russe

Pour recréer le goût préféré des Russes qui buvaient le thé de Chine transporté par des chameaux depuis la frontière russo-chinoise, ces mélanges sont composés de thés noirs ou Oolong de Chine ou de Formose, avec un soupçon de Lapsang Souchong ou de Tarry Souchong.

MÉLANGES MAISON

Le thé étant une affaire de goût personnel, nombreux sont les amateurs qui concoctent leurs propres mélanges chez eux. Une petite quantité de thé de qualité supérieure ou quelques feuilles de thé aromatisé (tel que thé au jasmin ou Tarry Souchong) transformeront un thé plutôt ordinaire. Pour obtenir un thé de petit déjeuner corsé, ajoutez une pincée d'Assam à du Ceylan ; pour un thé de brunch ou de milieu de journée, mettez un peu de Lapsang dans de l'Assam ; ou bien, pour un thé d'après-midi léger et rafraîchissant, ajoutez quelques feuilles de thé au jasmin à du thé de Chine noir. Les combinaisons sont innombrables.

Création de mélanges spéciaux et insolites.

LES SACHETS DE THÉ

Les sachets furent inventés, dit-on, après qu'en 1908 un importateur de thé new-yorkais du nom de Thomas Sullivan eut envoyé des petits sachets de thé en soie à des acheteurs potentiels, en guise d'échantillons. La soie fut ultérieurement remplacée par de la gaze puis par du papier. En Grande-Bretagne, le marché des sachets de thé se développa dans les années soixante (5% du thé consommé était alors en sachets). En 1965, on atteignit les 7%, et en 1993 les sachets représentaient 85% de la consommation britannique. Dans le reste du monde, le thé en vrac reste le plus apprécié : 16% seulement du thé est mis en sachets.

Le papier utilisé pour faire les sachets est fabriqué avec des matériaux tels que l'abaca, la pulpe de bois et la rayonne. Les machines à ensacher actuelles peuvent produire quelque 2000 sachets à la minute, de toutes formes – carrés, ronds, pyramidaux, simples ou doubles, scellés à chaud ou agrafés, étiquetés ou non.

THÉ EN SACHETS OU THÉ EN VRAC ?

La qualité du thé contenu dans les sachets s'est nettement améliorée ces dernières années, mais le consommateur doit être averti de deux choses. Tout d'abord, le

Stash Tea, une maison américaine, propose une gamme variée de thés en sachets et en vrac.

mélange de thé ordinaire, conditionné à l'échelle industrielle et vendu dans les supermarchés, donne de l'avis des connaisseurs un thé fort quelconque.

Par ailleurs, certains producteurs ou experts dans l'art du mélange commercialisent des sachets d'excellents thés, en mousseline, souvent cousus à la main de manière traditionnelle, dans des grands magasins, des boutiques spécialisées ou des épiceries fines, par correspondance aussi. Ces maisons proposent du thé en sachets en sus du thé en vrac, car elles ont identifié une réelle demande, les amateurs reconnaissant le côté pratique des sachets.

LE THÉ EN SACHETS :
LE POUR ET LE CONTRE

Les avantages

♦ commode pour préparer une tasse
de thé à la fois
♦ rapide à infuser
♦ manipulation aisée une fois que
le liquide est suffisamment infusé
♦ les feuilles ne risquent pas
de boucher les canalisations
♦ très utile pour préparer une grande
quantité de thé, à l'occasion
d'une réunion, par exemple

Les inconvénients

♦ les sachets contiennent des feuilles
finement broyées qui donnent un thé
plus corsé, mais moins subtil et raffiné
que les thés à feuilles entières
♦ plus de tanin et infusion plus forte
♦ les sachets perdent leur arôme et
s'éventent plus rapidement que le thé
en vrac ; ce dernier peut se conserver
pendant 2 ans, alors que les sachets
sont périmés au bout de 4 à 6 mois.

Il faut néanmoins reconnaître que les
sachets donnent une infusion de moins
bonne qualité, c'est pourquoi il vaut mieux
les reléguer au fond du placard à provisions
et les utiliser un jour où vous manquez de
temps. Ils sont les bienvenus lorsqu'il faut
préparer du thé en grande quantité, mais on
peut aussi utiliser du thé en vrac que l'on
met dans une grande théière pourvue d'un
infuseur.

L'EAU DU THÉ

L'aspect et le goût d'une tasse de thé dépen-
dent étroitement de l'eau qui a été utilisée
pour faire l'infusion. L'écrivain chinois Lu Yu
recommandait de prendre de l'eau de source
de montagne, car elle lui semblait la
meilleure. Aujourd'hui, la plupart des
consommateurs se servent de l'eau du robinet, dont la qualité, la teneur en sels minéraux et autres composants comme le fluor et
le chlore varient selon les régions. Certaines

maisons créent des mélanges spéciaux destinés à telle ou telle région, afin de tirer le meilleur du thé.

Si le thé est préparé avec de l'eau très douce, ou bien au contraire de l'eau «dure» (contenant du sulfate de calcium), l'infusion est claire et savoureuse. Si l'eau est momentanément dure (forte teneur en carbonate de calcium), le thé risque d'être terne et fade, et si on le laisse reposer pendant un court laps de temps, une fine pellicule d'écume se forme sur le dessus. Celle-ci est due à l'oxydation des composants du thé, causée par la présence d'ions de calcium et de bicarbonate dans l'eau. Pour empêcher la formation de ce film, évitez d'utiliser une telle eau ou filtrez-la au préalable avec un adoucisseur d'eau.

L'adjonction d'acide aide à éliminer les ions de bicarbonate. Ainsi, il n'y aura pas d'écume si on utilise un peu de citron. On obtient le même résultat avec le sucre, mais celui-ci dénature le goût du thé (son usage n'est d'ailleurs guère conseillé). En ajoutant du lait à de l'eau calcaire, la température de l'eau baisse et le processus d'oxydation qui crée la mousse se trouve ralenti. En revanche, des recherches récentes ont finalement démontré que le lait épaississait la pellicule d'écume en surface (le lait écrémé moins que le lait entier).

La liqueur de thé doit être brillante et limpide.

LE THÉ AU LAIT

Il est impossible de savoir pourquoi et à quel moment les Britanniques ont commencé à mettre du lait dans leur thé. Cette coutume serait peut-être née à l'époque où l'on consommait plus de thé vert que de thé noir, le lait servant alors à masquer son amertume et à atténuer son goût astringent. Elle pourrait aussi résulter du contact entre les marchands et les Mongols ou les premiers Mandchous, qui mettaient du lait dans leur thé. Ou bien mettait-on un peu de lait au fond des bols à thé chinois du XVIIᵉ et du XVIIIᵉ siècle avant de verser le thé, pour éviter que la fine porcelaine ne se craquelle au contact de l'infusion brûlante? En 1660, Thomas Garraway affirme sur son encart publicitaire que «le thé préparé avec du lait et de l'eau fortifie les entrailles».

C'est ainsi que, dès l'incursion du thé en Grande-Bretagne, on pouvait se voir proposer du lait avec le thé, et qu'à partir de 1750 l'adjonction de lait dans le thé devint très en vogue. Pourtant, les Hollandais, qui entretenaient les mêmes relations avec les mêmes négociants, ne mirent jamais de lait dans leur thé. Un voyageur hollandais, Jean Nieuhoff, essaya le thé au lait lors d'un banquet offert par l'empereur de Chine à l'ambassadeur de Hollande en 1655, mais l'expérience ne porta pas ses fruits. Les Français ne montrèrent eux non plus aucune préférence pour le thé au lait – la marquise de La Sablière semble avoir été la seule à l'apprécier autour de 1680.

Dès la fin du XVIIᵉ siècle, la coutume du thé au lait s'était propagée dans toute la Grande-Bretagne. Elle s'exporta ensuite dans les colonies. Aujourd'hui, la plupart des mélanges créés pour le marché britannique sont destinés à être bus avec du lait. Les pays producteurs tiennent compte de cet usage lorsqu'ils manufacturent les thés pour l'exportation en Grande-Bretagne. Toutefois, l'adjonction de lait est avant tout affaire de goût personnel. Les consommateurs doivent être conscients du fait que le lait altère la saveur de certains thés, en particulier tous les thés blancs et verts, les Pouchong et les Oolong, la plupart des thés noirs de Chine (à l'exception de ceux du Yunnan), les Darjeeling *first flush* (récolte de printemps), les thés parfumés et les thés noirs plus légers.

Faut-il verser le lait dans la tasse avant ou après le thé? La tradition britannique veut que ce soit avant. Le lait versé après se mélange certainement mieux au thé. De l'avis des scientifiques, il vaut mieux verser le lait d'abord car il refroidit le thé et évite à la matière grasse du lait d'être ébouillantée par le thé brûlant et de lui donner un goût désagréable. D'autres personnes préfèrent ajouter leur lait après, prétendant qu'il est ainsi plus facile de doser les deux liquides. Il n'y a pas de règle absolue dans ce domaine, tout est encore une fois question de goût personnel.

LE SUCRE DANS LE THÉ

La coutume de mettre du sucre dans le thé se répandit en Europe vers la fin du XVIIe siècle et recueillit plus d'audience en Grande-Bretagne que partout ailleurs. Elle n'est pas venue de Chine avec les premières caravanes de thés, car les Chinois buvaient rarement du thé sucré. Quelques régions de Chine seulement sacrifiaient à cette coutume, la plus connue étant celle des montagnes de Bohea, où l'on mélangeait du sucre jaune à l'infusion.

Dès la fin du XVIIIe siècle, la consommation de sucre était dix fois plus importante en Grande-Bretagne que dans les autres pays d'Europe. Les cuillères à thé, les plateaux à cuillères, les sucriers et les pinces à sucre vinrent se rajouter aux autres pièces des services à thé, et les premiers émigrants exportèrent la mode du sucre en Amérique du Nord.

Les spécialistes recommandent de boire le thé sans sucre car celui-ci a tendance à tuer le goût de la liqueur, mais en Grande-Bretagne nombreux sont les gens qui ajoutent une ou deux cuillerées de sucre dans leur tasse de thé.

LA PRÉPARATION DU THÉ

Quand on verse de l'eau chaude sur du thé vert, ou de l'eau frémissante sur de l'Oolong ou du thé noir, les composants du thé (la théine, les polyphénols, et des composants volatils variés comme les huiles essentielles) sont diffusés dans l'eau selon un taux de concentration qui diminue progressivement avec le temps.

Pour faire ressortir pleinement le goût du thé, il est impératif que l'eau utilisée pour l'infusion contienne beaucoup d'oxygène. Les thés noirs et les Oolong demandent une eau qui a juste atteint son seuil d'ébullition, c'est-à-dire qui est à une température adéquate de 95 °C, mais qui a toujours son oxygène. Les thés blancs et verts préfèrent généralement une eau entre 70 et 95 °C. (Pour les conseils sur la température de l'eau, consultez le guide.)

Bien qu'il existe une liste de règles élémentaires pour réussir un thé parfait, elles nécessitent d'être adaptées au type de thé et à la vaisselle utilisée.

LES RÈGLES D'OR

1 Utilisez du thé en vrac qui a été conservé dans de bonnes conditions et une théière appropriée. Remplissez la bouilloire d'eau froide et portez à ébullition.

2 Lorsque l'eau est frémissante, versez-en un peu dans la théière pour la chauffer, puis videz l'eau.

3 Mettez dans la théière (ou dans un infuseur à l'intérieur de celle-ci) 1 petite cuillerée de thé par tasse (cette quantité peut varier selon le type de thé et les goûts de chacun).

4 Versez l'eau frémissante sur les feuilles. Lorsque vous préparez du thé blanc ou vert, utilisez de l'eau chaude et non bouillante, à une température située entre 70 et 95 °C.

5 Couvrez la théière et laissez infuser pendant le nombre de minutes indiqué, selon le type de thé. Si vous utilisez un filtre, retirez-le de la théière dès que la liqueur vous paraît suffisamment corsée. Sinon, transvasez le thé dans une autre théière préalablement ébouillantée. Ceci permet de séparer les feuilles du liquide et empêche l'amertume de se développer. Pour ce qui concerne les doses de thé, la température de l'eau et les durées d'infusion, consultez le guide.

PRÉPARER DU THÉ DANS UNE THÉIÈRE CLASSIQUE

Pour préparer du thé dans la plus pure tradition, suivez les règles d'or *(voir page 76)*.

Si vous choisissez du thé de bonne qualité, vous devez pouvoir faire une seconde théière en versant de l'eau frémissante sur les feuilles après avoir vidé la première théière. Lorsque le thé est corsé à souhait et que son goût vous convient, versez-le dans une tasse en porcelaine. Certaines personnes préchauffent leur tasse avec de l'eau frémissante qu'elles laissent reposer quelques minutes avant de la vider et de la remplir de thé brûlant. Si la liqueur infusée provient d'un thé en vrac disséminé dans la théière, utilisez une passoire pour retenir les feuilles quand vous versez le

Porcelaine anglaise tendre, vers 1840.

thé. Si votre théière est munie d'un infuseur, la passoire ne s'impose pas.

PRÉPARER DU THÉ COMPRESSÉ

Cassez une quantité de thé à raison de 1 petite cuillerée de thé par personne. Placez le thé dans la théière préchauffée, dans une tasse à infuseur ou dans la tasse. Versez l'eau frémissante et laissez infuser 5 minutes environ. Passez le thé au-dessus d'une tasse ou d'un bol, ou bien retirez l'infuseur et servez.

CHOISIR SA THÉIÈRE

Avec des thés de Chine verts ou noirs, une théière de Yixing est parfaite, car elle fera pleinement ressortir la saveur du thé. L'idéal est de posséder une théière pour chaque type de thé, car le dépôt qui en tapisse l'intérieur donnera un goût supplémentaire au thé.

L'étain, la fonte, l'argent et la terre cuite conviennent aux thés corsés, comme le Ceylan, le thé africain et l'Assam. La porcelaine dure et la porcelaine anglaise tendre sont idéales pour les thés plus légers comme les Darjeeling, les Oolong et les thés verts. La solution serait de posséder plusieurs théières, une pour le thé noir non fumé, une pour le thé fumé, une pour le thé parfumé et une pour le thé vert.

Théière chinoise de Yixing en terre.

COMMENT NETTOYER UNE THÉIÈRE

Ne mettez jamais une théière au lave-vaisselle ou dans une bassine d'eau savonneuse. Videz-la de son thé, rincez-la à l'eau claire et faites-la égoutter en la retournant. Essuyez l'extérieur uniquement. Pour enlever le tanin d'une théière émaillée, en verre ou en argent, remplissez-la d'eau bouillante additionnée de 2 cuillerées à soupe de bicarbonate de soude et laissez reposer toute une nuit. Le matin, videz-la, rincez-la bien et faites-la sécher.

Si vous utilisez une théière de Yixing non émaillée, ne lavez jamais l'intérieur. Le dépôt est essentiel pour réussir un bon thé.

LE THÉ DÉTHÉINÉ

Pour les gens qui craignent la théine, les thés déthéinés sont une solution idéale. Les améliorations apportées aux techniques de production depuis les années quatre-vingt ont permis une large commercialisation de ce genre de produit. Il existe trois méthodes pour déthéiner le thé ; les scientifiques et les fabricants débattent encore pour savoir quelle est la meilleure pour la santé et d'un point de vue économique. Des recherches sont en cours, et les progrès continuels qui adviennent dans ce domaine permettent de fabriquer des produits de meilleure qualité.

Le dioxyde de carbone est un solvant organique, bon marché, facile à enlever du produit après traitement et sans danger s'il est utilisé en petites quantités.

Le chlorure de méthylène est le solvant le plus connu pour retirer la théine du thé et du café. Son prix est raisonnable et il est facile à enlever du produit après traitement. Le maximum autorisé dans le thé est de cinq parts pour un million. Les États-Unis ont interdit l'importation de produits traités au chlorure de méthylène.

L'acétate d'éthyle : son prix est raisonnable mais il s'enlève difficilement du produit après traitement. Quelques résidus d'acétate d'éthyle dans la liqueur attesteraient son efficacité.

Thé Twinings déthéiné.

LE THÉ INSTANTANÉ

Le seul avantage du thé instantané ou soluble réside dans sa facilité de préparation. De même que les amateurs de café n'imaginent pas boire du café instantané, les véritables connaisseurs en matière de thé ne rêvent pas eux non plus de thé instantané. Le choix du service à thé et des ustensiles de même que la préparation de l'infusion proprement dite entrent dans le plaisir que procure le thé, et se contenter de prendre une cuillerée de granules pour préparer une tasse de thé instantané est dérisoire. Il est néanmoins intéressant d'expliquer comment est fabriqué le thé instantané, et comment on réussit à améliorer son goût et sa qualité.

On fait d'abord infuser les feuilles de thé pour en extraire les composants nécessaires à la préparation d'une tasse de thé. La feuille est jetée et le liquide déshydraté afin d'obtenir un extrait sec. On peut procéder selon trois méthodes : par évaporation de l'eau sous l'effet d'un courant d'air chaud, par lyophilisation (l'infusion est partiellement gelée et les particules glacées sont ensuite séparées), ou en filtrant l'infusion afin de retenir les solides du thé.

Les solides sont ensuite séchés soit à l'air chaud, soit par le froid, puis on les conditionne dans des emballages résistant à l'humidité – habituellement dans des bocaux – afin de protéger le produit fini pendant le voyage.

LES THÉS PRÊTS À CONSOMMER

En 1992, l'industrie américaine du thé a lancé sur le marché ses premiers thés prêts à consommer. Les grandes maisons de thé se sont associées aux fabricants de boissons non alcoolisées pour créer toute une gamme de boissons à base de thé, gazeuses ou non, parfumées (au citron, à la framboise ou à la pêche) ou nature, sucrées ou non, en bouteilles ou en canettes. On en trouve maintenant dans les supermarchés et les épiceries, partout aux États-Unis et en Europe. Certaines ont vraiment la saveur du thé, d'autres (en particulier les variétés gazeuses) n'ont que le goût du sucre et du citron, et ressemblent très peu à la boisson connue et appréciée des amateurs de thé.

Aux États-Unis, pays où le thé glacé a fait de nombreux adeptes, ces boissons nouvelles séduisent particulièrement les jeunes.

Au Japon, des appareils distributeurs installés dans la rue et les supermarchés proposent une gamme encore plus large de thé prêt à consommer en canettes – froid ou chaud, vert ou noir, avec ou sans lait, parfumé aux fruits ou nature, sucré ou non, Darjeeling ou Assam. Les fabricants japonais ont apparemment réussi à créer des produits de grande qualité qui séduisent un vaste marché.

LE THÉ GLACÉ

Le thé glacé est née à l'Exposition universelle de Saint Louis en 1904. Une grande partie du thé consommé aux États-Unis à cette époque était du thé vert de Chine. Dans l'intention de promouvoir les thés noirs d'Inde, un groupe de producteurs de thé indiens installa un pavillon de thé tenu par des Indiens qui offraient aux visiteurs des tasses de thé chaud, sous la supervision d'un Anglais du nom de Richard Blechynden. On battit des records de chaleur cette année-là, et, bien que les Britanniques aient toujours vanté les vertus désaltérantes du thé chaud, les Américains délaissèrent l'infusion brûlante. Désireux de vendre son produit, Blechynden remplit les verres de glaçons et versa le thé par-dessus. L'assistance se bouscula pour acheter cette boisson rafraîchissante.

En 1992, les États-Unis consommaient entre 1,6 et 1,8 milliard de verres de thé glacé par an. Plus de 80 % du thé servi dans le pays contient de la glace et près de 80 % des foyers américains boivent du thé glacé. Celui-ci n'a jamais eu beaucoup de succès en Europe, où il ne s'en consomme qu'une petite quantité les jours de canicule, additionnée de citron et de menthe ou de bourrache.

Pour préparer du thé glacé, prenez un thé de Ceylan ou un Keemun de Chine. Doublez la dose habituelle de thé et faites-le infuser dans une théière. Passez-le et ajoutez du sucre pour adoucir le goût. Remplissez un verre de glaçons et versez le thé chaud par-dessus. Ajoutez quelques feuilles de menthe ou des fleurs de bourrache ainsi qu'une rondelle de citron ou d'orange et servez.

Vous pouvez aussi faire infuser la double dose de thé, passer l'infusion, la sucrer et la faire refroidir au réfrigérateur pendant plusieurs heures, puis la servir avec de la glace.

THÉ GLACÉ À LA MENTHE

Pour 4 personnes

4 brins de menthe fraîche
jus de 2 oranges et de 4 citrons
4 tasses de thé de Ceylan corsé, fraîchement infusé
1 petit morceau de gingembre frais, découpé en lamelles
2 tasses d'eau froide
sucre à volonté

Écrasez la menthe et mettez-la dans une carafe en verre. Versez les jus de fruits et le thé préalablement filtré. Ajoutez le gingembre, le sucre et l'eau froide. Filtrez et réfrigérez au moins une heure, puis servez avec beaucoup de glace ; garnissez avec des feuilles de menthe et une rondelle d'orange.

Thé glacé garni de brins de menthe.

LE THÉ ET SES METS

Le thé est un breuvage gastronomique qui s'associe avec bonheur à toutes sortes d'aliments.
À l'image des vins qui sont choisis pour rehausser la saveur de certains plats, le thé peut aussi
se marier avec des mets salés ou sucrés. Il convient de sélectionner les différentes variétés
de thé avec une attention particulière pour créer un harmonieux mélange de saveurs.
Vous trouverez ci-après un guide qui vous aidera à faire votre choix de thés en fonction
de vos menus ou des mets que vous souhaitez servir en accompagnement.

Le saumon fumé se marie parfaitement avec le Darjeeling ou le Lapsang Souchong.

Types de mets	Thés appropriés
Petit déjeuner continental (pain, fromage, confiture, etc.)	Yunnan, Ceylan, Indonésien, Assam, Dooars, Terai, Travancore, Nilgiri, Kenya, Darjeeling
Petit déjeuner anglais (aliments frits, œufs, poisson fumé, jambon, bacon, etc.)	Ceylan, Kenya, mélanges africains, Assam, Tarry Souchong, Lapsang Souchong
Mets salés légers	Yunnan, Lapsang Souchong, Ceylan, Darjeeling, Assam, thés verts, Oolong
Mets épicés	Keemun, Ceylan, Oolong, Darjeeling, thés verts, Jasmin, Lapsang Souchong
Fromages forts	Lapsang Souchong, Earl Grey, thés verts
Poissons	Oolong, thés fumés, Earl Grey, Darjeeling, thés verts
Viandes et gibier	Earl Grey, Lapsang Souchong, Kenya, Jasmin
À l'heure du thé	Tous les thés
Après le repas	Thés blancs et verts, Keemun, Oolong, Darjeeling

ORGANISER UNE « TEA-PARTY »

L E THÉ de l'après-midi ou *afternoon tea* est une occasion rêvée pour bavarder tout à loisir dans un cadre élégant et raffiné, mais sans pesante cérémonie. C'est un moment de la journée idéal pour deviser entre amis ou rencontrer de nouveaux voisins, pour signifier son hospitalité et renforcer des liens d'amitié. Une réunion toute simple autour d'une théière et d'un morceau de gâteau, ou plus élaborée avec des mets salés et sucrés servis en accompagnement. En hiver, installez-vous au salon. En été, élisez domicile au jardin, en vous servant d'une table roulante pour transporter le matériel.

Faites vos invitations par téléphone, ou envoyez un carton dans les jours qui précèdent. Le jour dit, préparez le plus de choses possible à l'avance.

Remplissez la théière avec de l'eau froide mais ne la portez pas à ébullition avant que tout le monde soit prêt. Choisissez la théière, le pot à eau chaude et le couvre-théière. Sélectionnez le thé que vous allez servir et tenez la boîte à portée de main. Préparez une passoire, si besoin est, ainsi qu'une soucoupe pour les déchets. Mettez le sucre en poudre ou en morceaux dans un sucrier avec une cuillère ou des pinces, versez le lait dans un pichet et disposez des rondelles de citron sur une assiette.

Couvrez les plats que vous allez servir en accompagnement et mettez-les au réfrigérateur ou dans un endroit frais. Si vous proposez des scones ou des brioches, prévoyez du beurre, de la confiture ou de la crème fraîche épaisse. Pensez à servir un assortiment de petits sandwiches, de muffins, de gâteaux, de pâtisseries et de petits sablés. Pour prendre le thé au salon, couvrez la desserte d'une nappe en lin ou en fine dentelle, ou placez un joli napperon sur une table roulante. Si vous vous installez dans le jardin, préparez une table et des chaises, choisissez une belle nappe. Dressez le couvert avec, pour chaque invité, les articles de vaisselle suivants :

♦ une tasse et une soucoupe

♦ une petite cuillère

♦ une petite assiette

♦ un couteau ou une fourchette à dessert, selon le cas

♦ une serviette en lin

Lorsque vos hôtes arrivent, faites-les entrer et invitez-les à s'asseoir. Assurez-vous qu'ils sont confortablement installés, puis allez à la cuisine mettre la bouilloire en marche. Pendant que l'eau chauffe, emmenez au salon ou au jardin les plats de victuailles et tout ce dont vous avez besoin. Préparez le thé.

Si vous êtes au salon, prévoyez une petite desserte pour chacun, qui pourra ainsi poser son assiette, sa tasse et sa soucoupe. Faites passer à chacun une petite assiette, une serviette, un petit couteau ou une fourchette à dessert. Demandez-leur s'ils préfèrent le thé nature, ou avec du lait ou du citron ; versez d'abord le lait. Servez une tasse de thé à chacun, et proposez du sucre.

Présentez les mets d'accompagnement, les sandwiches d'abord (si vous en avez prévu). Offrez ensuite les mets sucrés, comme les scones ou les gâteaux.

Proposez plus de thé ou servez-le à la demande – jetez le thé qui reste dans les tasses avant de les remplir à nouveau. Préparez une nouvelle théière si nécessaire.

L E T H É E T L A S A N T É

Depuis sa découverte, on a prêté au thé d'innombrables vertus médicinales. Les recherches actuelles témoignent d'ailleurs de la véracité d'affirmations énoncées depuis des siècles. Son atout majeur est d'être un produit complètement naturel, ne contenant aucun colorant, conservateur ou arôme artificiels. C'est aussi une boisson sans calories si on la prend sans lait ni sucre, qui peut jouer un rôle de régulateur physiologique.

Le thé est naturellement riche en fluor, qui renforce l'émail des dents et retarde la formation de plaques dentaires en éliminant les bactéries. Il prévient aussi les maladies de la gencive et les caries.

Des recherches menées sur les animaux suggèrent que la consommation de thé vert ou noir peut réduire les risques de cancer – en particulier cancer de la peau, du poumon et du côlon. On pense que les composants du thé noir peuvent avoir un effet antioxydant et empêcher ainsi la formation de substances cancéreuses dans les cellules du corps humain.

Plusieurs programmes de recherche menés ces dernières années attestent les actions bénéfiques du thé sur les affections cardiaques, infarctus et thromboses. La théine du thé agirait sur le cœur et le système cardio-vasculaire comme un léger stimulant, et

Affiche destinée à promouvoir le thé vert japonais.

contribuerait ainsi à assouplir la paroi des vaisseaux sanguins, à éviter l'artériosclérose (le durcissement des artères). On pense également que les polyphénols du thé peuvent empêcher l'absorption de cholestérol par le sang et la formation de caillots.

La théine du thé stimule l'esprit en augmentant sa capacité de concentration et sa vivacité, et en permettant une perception plus fine des sensations, celle du goût et de l'odorat en particulier. Elle a aussi une action reconnue sur les sécrétions digestives et sur le métabolisme en général, y compris les reins et le foie, en contribuant à l'élimination des toxines et d'autres substances indésirables.

LE THÉ À TRAVERS LE MONDE

EN CHINE

Bien que la Chine produise de grandes quantités de thé noir pour l'exportation, les thés les plus répandus dans le pays sont le thé vert et le thé semi-fermenté. Le service à thé comprend une petite théière (au mieux en terre de Yixing) et de minuscules tasses dépourvues d'anse. Pour une seule personne, la tradition veut qu'on fasse infuser les feuilles dans un *guywan* (une tasse munie d'un couvercle).

À la maison, on offre toujours du thé aux visiteurs, et dans les restaurants la théière est le premier article de vaisselle que l'on pose sur la table et le dernier à être desservi. Sur les lieux de travail, on trouve des bouilloires d'eau frémissante à chaque étage d'une usine ou d'un immeuble de bureaux et, sur chaque bureau, des sachets prêts à infuser. Afin de se rafraîchir pendant la journée, les travailleurs agricoles emportent des gourdes remplies de thé. La plupart des maisons de thé traditionnelles ont fermé leurs portes dans les années vingt et trente. Pendant la révolution culturelle, il fut même décrété que le fait de prendre le thé était une «activité de loisir improductive». Aujourd'hui, les plus célèbres de ces établissements ont été restaurés et ont reconquis une grande partie de leur clientèle avec le succès d'antan.

La Maison de thé à Shanghai.

Préparatifs pour la cérémonie du thé japonaise.

AU JAPON

Au Japon, où le thé préféré entre tous est toujours le thé vert (en particulier le matin et en digestif après le repas), des milliers d'hommes et de femmes fréquentent les nombreuses écoles de thé pour s'initier aux secrets de la cérémonie du thé. Cependant, les goûts évoluent : de nombreux Japonais consomment maintenant du thé noir avec du lait dans la plus pure tradition britannique. Des salons de thé à l'occidentale se sont ouverts dans les hôtels et les centres commerciaux des grandes villes, et toute une gamme de boissons chaudes et froides à base de thé additionné de fruits, de jus de fruits, de crème, d'épices ou de lait chaud est apparue. Les maîtres de thé organisent des séminaires et des cours pour enseigner aux buveurs de thé intéressés l'art de préparer le thé noir et de le servir à la mode anglaise, accompagné de mets spécialement réservés à cet usage.

AU TIBET

Au Tibet, le thé est considéré comme une offrande, et préparé chaque jour avec un soin extrême. Pour faire le thé salé, le thé vert en brique est pilé dans un mortier, puis bouilli pendant quelques minutes dans un récipient plein d'eau. La décoction est ensuite filtrée et versée dans une baratte où l'on ajoute du sel et du lait de chèvre ou du beurre de yack. Cette boisson est désignée sous le nom de *tsampa*. Le thé est versé dans une bouilloire que l'on garde au chaud sur le feu, puis servi traditionnellement avec des galettes d'orge ou de blé.

EN INDE

Le thé est la boisson favorite de l'Inde, où on le sert parfois à l'anglaise ou bien bouilli avec de l'eau, du lait et des épices. Dans la rue, les échoppes vendent du thé très corsé avec beaucoup de sucre et du lait. Dans les trains, on garde le thé au chaud dans de grandes bouilloires et on le boit dans des tasses en terre que l'on jette après usage.

En Turquie

Malgré la croyance populaire, le thé est beaucoup plus apprécié que le café en Turquie, où il se prépare en cuisine, à l'abri des regards. L'infusion sombre et corsée est filtrée, puis versée dans des petits verres. Elle est servie tout au long de la journée aux clients qui viennent traiter des affaires, à la maison, dans les restaurants... Dans certaines maisons, la théière est constamment sur le feu (on ajoute seulement de l'eau chaude au moment de servir).

En Iran et en Afghanistan

Dans ces deux pays, le thé est la boisson nationale. On boit du thé vert pour se désaltérer et du thé noir pour se réchauffer, tous les deux avec beaucoup de sucre. Chez soi ou dans les maisons de thé, les buveurs s'assoient en tailleur sur des matelas posés à même le sol et sirotent leur thé dans des pots en porcelaine de couleur vive.

En Russie

Les Russes connurent le thé au XVIIe siècle, mais le breuvage devint en vogue au début du XIXe siècle. On consomme aussi bien du thé vert que du thé noir, sans adjonction de lait, dans des verres munis d'une anse en métal. Juste avant de prendre une gorgée de thé, on laisse fondre dans sa bouche un morceau de sucre ou une cuillerée de confiture. Le samovar, qui s'inspirait vraisemblablement d'un pot

Samovar russe.

à feu utilisé par les Mongols, est devenu très prisé vers 1730. Il est encore aujourd'hui une pièce maîtresse du foyer russe. Le récipient en métal du samovar repose sur un foyer de braises surmonté d'un tuyau qui traverse le récipient pour chauffer son eau. On prépare du thé très corsé dans la petite théière située au-dessus. Il sera ensuite dilué avec de l'eau chaude tirée d'un robinet installé sur le côté du samovar. Le samovar garde le thé chaud pendant des heures à la disposition des membres de la famille ou des hôtes.

En Égypte

Les Égyptiens, grands buveurs de thé, l'aiment doux et corsé, sans lait. Dans les cafés, on le sert dans des verres disposés sur un plateau, accompagné d'un verre d'eau, de sucre, d'une cuillère et parfois de feuilles de menthe.

Au Maroc

Le thé est servi dans des verres, sur des plateaux en argent. Dans les maisons marocaines, c'est à l'homme qu'il incombe de servir le thé. Pour le verser, il lève la théière très haut au-dessus des verres, de façon à former une fine couche d'écume en surface.

Service du thé au Maroc.

En Nouvelle-Zélande et en Australie

Dans ces deux pays, le thé est servi à la maison et dans les restaurants à la mode anglaise. Mais, dans le Bush australien, les hommes font leur thé à même le feu dans une gamelle *(billycan)*. Comme en Grande-Bretagne et dans d'autres pays d'Europe, le café et les boissons non alcoolisées ont peu à peu supplanté le thé, dont la consommation est en baisse. En Australie, les importations de thé, qui s'élevaient à plus de 40 000 t par an en 1967, ne dépassent plus guère les 23 000 t.

Au Royaume-Uni

Le thé est encore et toujours la boisson préférée des Britanniques, malgré la concurrence des boissons non alcoolisées et du café. Toutefois, la consommation est en légère baisse. Il se boit en moyenne 3,3 tasses de thé par jour et par habitant (contre 3,8 en 1984). Certaines personnes commencent leur journée avec au moins une tasse de thé et boivent aussi du thé sur leur lieu de travail, pendant les pauses le matin et l'après-midi, et parfois au déjeuner ; le thé de l'après-midi *(afternoon tea)* est une tradition encore très ancrée dans la vie quotidienne britannique. Peu de gens boivent du thé le soir : le Comité du thé du Royaume-Uni a récemment lancé une campagne promotionnelle pour inciter les restaurants à proposer du thé en fin de repas au lieu du café.

Depuis le début des années quatre-vingt, il y a un regain d'intérêt pour l'heure du thé de l'après-midi. Les boutiques, les salons de thé en ville et ceux des hôtels regorgent de clients. Les Britanniques comme les étrangers apprécient avec bonheur l'élégance et le style de ce rituel.

Pourtant, dans beaucoup de foyers, on prépare le thé en faisant infuser des sachets et, pour un connaisseur, la boisson obtenue paraîtra presque fade. Il reste tout de même en Grande-Bretagne des gens qui savent faire de l'excellent thé et ont une bonne connaissance des nombreuses variétés de thés de qualité disponibles sur le marché. Les boutiques spécialisées proposent un large éventail de thés de diverses origines et de mélanges ou *blends*, ainsi qu'un choix de vaisselle et de coffrets cadeaux. La boutique Twinings (au numéro 216 sur le Strand,

à Londres), qui date de 1706, continue à étonner ses visiteurs par son choix de thés, de vaisselle et de livres, et par les portraits des ancêtres de la famille Twinings qui ornent ses murs.

Nombreux sont les Britanniques qui font appel au thé pour se détendre et passer un agréable moment : un problème à résoudre, une amitié à sceller, une journée de travail trop longue ou trop difficile, un froid trop vif en hiver, une chaleur exténuante en été, autant de situations qui se prêtent à la dégustation d'une tasse de thé !

AUX ÉTATS-UNIS

Même si les États-Unis passent pour être un pays de buveurs de café, le thé y fit une remarquable percée il y a une dizaine d'années, qui coïncida avec un soudain regain d'intérêt pour le Royaume-Uni de la part des

Sélection de produits de la compagnie américaine Grace Rare Teas.

Le salon de thé en rotonde de l'hôtel Pierre à New York, à l'angle de la Vᵉ Avenue et de la 61ᵉ Rue.

Américains. Parmi les raisons, on peut invoquer une plus grande préoccupation en matière de santé et une fascination empreinte de nostalgie pour tout le rituel qui entoure le thé. Aujourd'hui, plus de 125 millions d'Américains boivent du thé à un rythme quotidien, sous une forme ou une autre – thé noir brûlant, thé glacé, thé tout prêt en bouteilles ou en canettes.

Le marché des thés de qualité est en pleine expansion, et de nouveaux salons de thé ouvrent leurs portes. Les experts en thé présentent de nouveaux produits, font des démonstrations, et créent des événements promotionnels pour montrer à leurs clients comment bien consommer le thé. Les sociétés de vente par correspondance proposent de plus en plus de thés rares, soigneusement sélectionnés, ainsi que de la vaisselle (théières de Yixing par exemple, services à thé japonais, *guywans*...), mais aussi toutes sortes de mets à servir en accompagnement.

Les Thés

du

Monde Entier

LES PAYS
PRODUCTEURS
DE THÉ

AÇORES

CAMER

ÉQUATEUR

RWA
BURUN

PÉROU

BRÉSIL

ZIMBAB

ARGENTINE

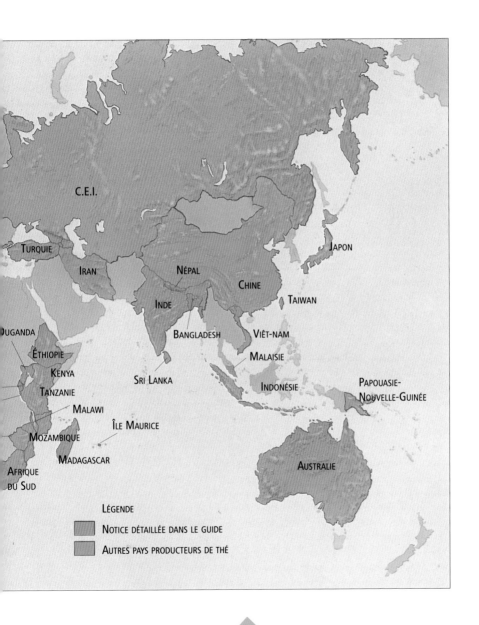

C.E.I.

TURQUIE

IRAN

NÉPAL

CHINE

JAPON

INDE

TAIWAN

OUGANDA

BANGLADESH

VIÊT-NAM

ÉTHIOPIE

MALAISIE

KENYA

SRI LANKA

INDONÉSIE

PAPOUASIE-
NOUVELLE-GUINÉE

TANZANIE

MALAWI

ÎLE MAURICE

MOZAMBIQUE

MADAGASCAR

AUSTRALIE

AFRIQUE
DU SUD

LÉGENDE

NOTICE DÉTAILLÉE DANS LE GUIDE

AUTRES PAYS PRODUCTEURS DE THÉ

LE GUIDE DES THÉS DU MONDE

L'AFRIQUE

CAMEROUN

Trois plantations produisent trois thés très différents – *clonal*, *high-grown* et *low-grown* – tous de très bonne qualité.

KENYA

Les thés CTC* cultivés sont commercialisés sous l'appellation *Kenyan blends* («mélanges du Kenya»), ou pour être mélangés à des thés provenant d'autres pays. Ils donnent une infusion sombre à la saveur pleine et à l'arôme riche.

MALAWI

Des thés CTC* vendus pour les mélanges. Une amélioration de la qualité est apparue après la multiplication des plants par clonage, mais la sécheresse de ces dernières années a durement affecté la région.

AFRIQUE DU SUD

Produit des thés noirs, dont la plupart sont consommés sur place, excepté le thé Zoulou, unique thé sud-africain actuellement commercialisé à l'étranger, qui

devient très prisé en Europe et aux États-Unis.

TANZANIE

Produit des thés CTC* et orthodoxes*, semblables aux thés de Ceylan bien que la qualité varie selon l'altitude et les types de cueillette. La sécheresse et le manque aigu de main-d'œuvre ont récemment affecté la qualité des thés.

LE SOUS-CONTINENT INDIEN

INDE

Assam

Dans cette région, on cultive des thés orthodoxes* au goût malté, plein et riche, qui donnent une infusion colorée et forte.

Darjeeling

Des thés de différentes saisons aux goûts très distincts : *first flush* aux feuilles verdâtres, qui donne un thé astringent et parfumé ; *second flush*, qui donne un thé au goût plus doux et plus rond ; *in-between*, qui combine l'astringence du thé de première récolte au goût plus mûr de la seconde ; automnal, qui donne un thé au goût rond.

Dooars

Région à l'ouest de l'Assam qui produit des thés *low-grown*, pleins et forts.

Nilgiri

Les thés cultivés sur les hauts plateaux *(Nilgiri Hills)* de l'Inde méridionale donnent une liqueur goûteuse et vive, à la saveur douce.

Sikkim

Ce petit État indien produit des thés de type Darjeeling, mais plus pleins, forts et goûteux.

Terai

Cette petite région au sud de Darjeeling produit des thés qui donnent une infusion riche et colorée, au goût épicé.

Travancore

Cette région méridionale produit des thés possédant les mêmes caractéristiques que les thés de Ceylan, pleins, forts et colorés.

SRI LANKA

Six régions produisent des thés différents. Les thés *high-grown* donnent des liqueurs dorées, légères et de grande qualité ; les thés *middle-grown* donnent des liqueurs riches, rouges et cuivreuses ; les thés *low-grown* donnent des infusions sombres et fortes ; ils sont généralement utilisés dans les mélanges. Nuwara Eliya, la région la plus élevée, donne les thés de Ceylan les plus raffinés.

L'EXTRÊME-ORIENT

CHINE

Dix-sept provinces produisent la plus grande gamme de thés au monde : du thé blanc d'excellente qualité, des thés verts, Oolong, Pouchong, du thé noir compressé et du thé parfumé, dont la plupart sont encore traités à la main.

INDONÉSIE

La plupart sont vendus pour les mélanges. Ils donnent une infusion brillante et légère, presque suave, qui rappelle les thés de Ceylan *high-grown*.

JAPON

Produit uniquement des thés verts. Les Gyokuro, Sencha et Hojicha sont des thés à fines feuilles pointues que l'on fait infuser dans l'eau, le Tencha est coupé en petits morceaux, le Matcha est une poudre de thé que l'on bat avec de l'eau pour obtenir une liqueur mousseuse.

TAIWAN

Produit des thés orthodoxes*, verts, Oolong et noirs. Les Oolong sont la spécialité de Taiwan, un peu plus fermentés que les Oolong de Chine, et donc plus sombres et légèrement plus forts. Taiwan produit également des Pouchong légèrement fermentés.

LES AUTRES PAYS PRODUCTEURS

AMÉRIQUE DU SUD

ARGENTINE
Thé noir utilisé pour les mélanges en Chine et aux États-Unis.

BRÉSIL
Thés noirs qui donnent une infusion brillante. Pour la plupart utilisés dans les mélanges.

ÉQUATEUR
Produit des thés noirs, généralement exportés aux États-Unis.

PÉROU
Thés noirs cultivés dans deux plantations.

AFRIQUE

BURUNDI
Thés noirs CTC*.

ÉTHIOPIE
Thés de bonne qualité produits dans deux manufactures.

MADAGASCAR
Thés *clonal* de qualité intéressante.

ÎLE MAURICE
Thés noirs orthodoxes*.

MOZAMBIQUE
Thés noirs forts et épicés.

OUGANDA
Thés noirs, utilisés dans les mélanges.

RWANDA
Thés noirs CTC* de bonne qualité, mais une production sur laquelle on ne peut pas compter à cause de l'instabilité politique.

ZIMBABWE
Thés noirs qui donnent une liqueur sombre et forte comparable à celle des thés du Malawi.

EUROPE

AÇORES
Thés noirs cultivés sur des plantations remises en état.

ASIE

BANGLADESH
Produit des thés noirs, pour la plupart utilisés dans les mélanges.

C.E.I.
Thés CTC* et orthodoxes*.

IRAN
Des petits propriétaires y produisent des thés noirs au goût léger.

MALAISIE
Thés de qualité médiocre, vendus principalement aux touristes.

NÉPAL
Thé noir de type Darjeeling.

TURQUIE
Thés noirs, en grande partie consommés dans le pays.

VIÊT-NAM
Thés noirs CTC* et thés verts.

OCÉANIE

AUSTRALIE
Thés noirs pour le marché intérieur.

PAPOUASIE-NOUVELLE-GUINÉE
Thé noir donnant une liqueur sombre, au goût fort.

---

* *clonal* : thé obtenu après multiplication des plants par clonage ;
high-grown : thé cultivé à haute altitude ;
low-grown : thé cultivé à basse altitude ;
middle-grown : thé cultivé à moyenne altitude.

* CTC (broyage, déchiquetage, bouclage) : procédé moderne utilisé pour briser les cellules des feuilles de thé ; les thés CTC se présentent sous la forme de fines particules régulières. S'oppose au procédé classique ou orthodoxe.

* orthodoxe : se dit d'un thé préparé selon la méthode industrielle classique.
* Darjeeling *first flush*, de première récolte, celle du printemps ; *second flush*, de deuxième récolte, celle de l'été ; *in-between*, récolte intermédiaire.

Comment Utiliser ce Guide

C E GUIDE est divisé en quatre parties principales. Les trois premières parties présentent en détail onze pays producteurs de thé dans le monde. Ils ont été sélectionnés en priorité pour la quantité ou la qualité de leurs thés, ou bien parce qu'ils produisent des thés intéressants pour le connaisseur et promis à un certain avenir. La dernière partie passe en revue les autres pays producteurs de thé et, si possible, un jardin de thé particulier fait l'objet d'une recommandation.

Pour chaque pays des trois premières parties, des thés spécifiques sont cités : ce sont les meilleurs, ou ils sont représentatifs de l'excellence. Dans certaines régions, il y a tellement de thés excellents provenant de jardins différents qu'il est impossible d'en dresser une liste exhaustive.

En recommandant des thés provenant de jardins spécifiques, on ne peut donner que des caractéristiques générales, puisque chaque thé risque de varier d'une année sur l'autre en fonction du temps et du climat de la région concernée.

Les notices donnent pour chaque thé des conseils de préparation et de dégustation, qui ne sont que des remarques d'ordre général.

Les quantités de thé infusées et la durée de l'infusion peuvent varier selon le goût de chacun ; les mets d'accompagnement également.

Faites chauffer autant de tasses d'eau que vous souhaitez servir de tasses de thé. Il faut environ 1 petite cuillerée de thé en vrac pour chaque tasse de thé (cette quantité peut varier légèrement selon la taille des feuilles).

**Conseils de dégustation
Légende des symboles**

| Petit déjeuner | Matin | Après-midi | Toute la journée (du petit déjeuner jusqu'en début de soirée) | Digestif | Soir | À l'heure du coucher | Grandes occasions |

L'Afrique

CAMEROUN

*Des thés intéressants pour les connaisseurs
à la recherche d'un produit original.*

ENTRE 1884 ET 1914, les planteurs allemands pratiquèrent de nombreuses cultures dont celle du café, du palmier à huile, du tabac, des noix de kola et des bananes. Ils expérimentèrent aussi la culture du thé. Les premiers théiers furent plantés en 1914 à Tole, sur les pentes fertiles du mont Cameroun – le seul volcan actif de l'Afrique de l'Ouest, situé dans le sud-ouest du pays, surplombant la ville de Limbe sur la côte atlantique.

Tole, qui se situe à 600 m au-dessus du niveau de la mer, réunit toutes les conditions requises pour la culture du thé. La pluviosité est de 3 000 mm par an, les températures sont comprises entre 19 et 27 °C, et le taux d'humidité est élevé. Les plantations de thé s'étendent sur 27 ha.

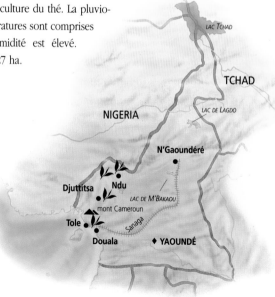

Manufacture de Tole, au pied du mont Cameroun.

Les plantations d'origine, qui connurent un développement dans les années quarante, contribuèrent à une hausse de la production. Cependant, l'exploitation fut interrompue en 1948 et ne redémarra qu'en 1952. En 1954, on décida d'agrandir Tole, qui s'étendit sur 280 ha, pour atteindre environ 320 ha en 1968. La production de thés noirs orthodoxes s'élevait alors à 685 t par an.

D'autres plantations furent exploitées à Ndu, dans la province du Nord-Ouest. Les nouvelles plantations furent installées en 1957 à 2 100 m d'altitude, en utilisant des graines provenant de Tole et d'Afrique de l'Est. En 1968, le Cameroun exploitait deux plantations de thé couvrant environ 730 ha de terres.

Ndu

Caractéristiques
Thé noir orthodoxe *high-grown*, cultivé à 2 100 m. Liqueur brillante et colorée.

Conseils de préparation
1 petite cuillerée par tasse d'eau à 95 °C. Laissez infuser pendant 2 min.

Conseils de dégustation

Se boit avec du lait, le matin ou l'après-midi.

Djuttitsa Clonal

Caractéristiques
Thé clonal CTC *high-grown* de bonne qualité,
cultivé à 1 700 m d'altitude.
Liqueur brillante à la saveur agréable.

Conseils de préparation
1 petite cuillerée par tasse
d'eau à 95 °C.
Laissez
infuser
3 min.

**Conseils
de dégustation**

Se boit avec du lait,
le matin ou l'après-midi.

Tole

Caractéristiques
Thé *low-grown* CTC intéressant. Liqueur
de couleur vive et de qualité moyenne.

Conseils de préparation
1 petite cuillerée par tasse d'eau à 95 °C.
Laissez infuser 3 min.

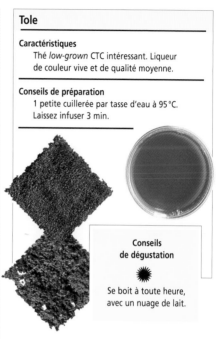

**Conseils
de dégustation**

Se boit à toute heure,
avec un nuage de lait.

Aujourd'hui, les plantations recouvrent une superficie totale de 1 560 ha, dont 590 sont plantés de théiers *clonal*. La cueillette s'étale sur toute l'année. Pendant la saison de pointe, quelque 2 300 hommes et femmes sont employés à la récolte du thé. La production annuelle de 4 050 t devrait atteindre 4 600 en l'an 2000.

Dans les années cinquante, tout le thé produit au Cameroun était vendu aux enchères à Londres. Avant 1965, plus de la moitié de la récolte a été exportée en Europe et au Nigeria, mais depuis 1966 une plus grande quantité est vendue sur place. Aujourd'hui, les Républiques du Tchad et du Soudan sont les principaux clients du Cameroun. Néanmoins, la modernisation des manufactures, le développement et l'extension des plantations se poursuivent.

Le thé du Cameroun est extrêmement intéressant pour les connaisseurs qui recherchent un produit original. Les trois manufactures de ce petit pays produisent trois thés très différents. Les thés *low-grown* de Tole, les thés *high-grown* de Ndu et les thés *clonal* de Djuttitsa sont tous d'excellente qualité.

KENYA

*Des thés de qualité cultivés dans les régions montagneuses du Kenya
à la végétation luxuriante.*

L ES PREMIERS ARBUSTES furent plantés à Limuru en 1903. La production progressa lentement jusqu'à la fin des années cinquante. En 1950, le thé fut reconnu par l'État comme une denrée de première importance. Le Tea Board (Office du thé) du Kenya fut alors créé pour réglementer son industrie. Un autre organisme, la Kenya Tea Development Authority, fut fondé en 1964 avec pour objectif de promouvoir la culture du thé en petites exploitations dans les régions les plus adaptées. En 1964, on comptait un total de 19 700 petits producteurs de thé pour une superficie de 4 400 ha ; il y en a aujourd'hui 270 000 pour une superficie de 90 000 ha.

Dans les années soixante, il n'existait que la manufacture de Ragati à Nyeri, mais 43 autres ont été créées dans 13 districts producteurs de thé ; la récolte totale annuelle varie entre 27 500 et 33 000 t de thé vert. Les thés noirs CTC sont des thés à pointes dorées *tippy teas* qui donnent une liqueur pleine et forte, à la fragrance presque suave. Un jardin, celui de Marinyn, produit un thé orthodoxe de haute qualité qui ressemble à un Assam orthodoxe.

Au Kenya, les principales plantations se trouvent dans les régions montagneuses, entre 1 500 et 2 700 m, où d'importantes précipitations contribuent à une production de qualité. Si le reste du Kenya est trop sec pour se prêter à l'agriculture, les montagnes bénéficient d'un air chaud et humide, venant du lac Victoria, qui donne des pluies à proximité des reliefs élevés. Les théiers produisent toute l'année, mais les meilleurs thés sont récoltés fin janvier-début février et au mois de juillet.

Cueilleurs de thé en plein travail au Kenya.

Les thés kenyans sont de haute qualité. En 1992, le pays était troisième producteur mondial, derrière la Chine et l'Inde, avec 207 000 t (7,8 % de la production mondiale). Cette année-là, les exportations s'élevèrent à 183 000 t, soit 16 % des exportations mondiales. En 1993, un record absolu de 232 000 t fut enregistré, dont 207 000 pour l'exportation. Ce sont des thés très cotés sur les marchés mondiaux. Les débouchés traditionnels sont les ventes aux enchères de Mombasa et de Londres, ainsi que les ventes directes à l'étranger et à des acheteurs du pays. Les principaux clients étrangers sont le Royaume-Uni, l'Irlande, l'Allemagne, le Canada, les Pays-Bas, le Pakistan, le Japon, l'Égypte et le Soudan.

Marinyn

Caractéristiques
Magnifique thé orthodoxe à grandes feuilles provenant du plus célèbre jardin du Kenya. Donne une infusion riche et forte au goût plein et fruité.

Conseils de préparation
1 petite cuillerée par tasse d'eau à 95 °C. Laissez infuser 2 à 3 min.

Conseils de dégustation
Thé d'après-midi. Se boit avec du lait.

Kenya Blend

Caractéristiques
Riche liqueur rouge doré au goût agréable.

Conseils de préparation
1 petite cuillerée par tasse d'eau à 95 °C. Laissez infuser 2 à 3 min.

Conseils de dégustation
Thé de petit déjeuner ou d'après-midi. Se boit avec du lait. Excellent avec des gâteaux au chocolat.

MALAWI

Une amélioration de la qualité a été obtenue grâce à un récent programme
de multiplication des plants par clonage.

L E MALAWI est le deuxième pays africain producteur de thé après le Kenya. Le premier thé fut introduit en 1878 dans ce qui fut le Nyassaland, sous forme de graines provenant du Jardin botanique d'Édimbourg en Écosse. À la fin du siècle, des plantations furent créées à Lauderdale, Thornswood et Thyolo avec des graines provenant du Natal (et initialement de Ceylan).

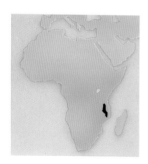

TANZANIE

Nkhata Bay

ZAMBIE

LAC NYASSA (LAC MALAWI)

MOZAMBIQUE

LILONGWE

LAC MALOMBE

LAC CHIUTA

LAC CHILWA

Blantyre

mont Mulanje

Mulanje

Les exportations de thé commencèrent en 1905, et, bien que la production n'ait pas été de très bonne qualité, l'industrie du thé prospéra ; au milieu des années cinquante, plus de 5000 ha étaient déjà en exploitation. La plupart des théiers sont plantés à basse altitude – l'altitude moyenne dans le district de Mulanje est de 550 m. Les pluies, dont la fréquence est imprévisible, ainsi que les températures élevées ne sont pas idéales pour la culture du thé. En 1966, la Tea Research Foundation (Fondation de recherche sur le thé) fut créée, essentiellement à cause de l'environnement particulier dans lequel pousse le thé de cette région (Afrique centrale). En 1992, une terrible sécheresse et une

Parcelle consacrée à la multiplication des plants au centre de recherche sur le thé de Mimosa.

distribution des pluies très inégale, faisant suite à une faible pluviométrie en 1990 et en 1991, eurent une influence néfaste sur la récolte de thé. Même les meilleures années, les planteurs ne peuvent jamais se fier aux conditions météorologiques. Ils espèrent toujours que le temps sec n'affectera pas les arbres de façon irréversible, mais en 1992 les jeunes plants ne résistèrent pas à la sécheresse. La récolte fut médiocre et les théiers les plus anciens furent gravement endommagés. En 1994, la récolte, redevenue normale, s'éleva à 44 000 t.

Namingomba

Caractéristiques
Thé *clonal* de bonne qualité. Liqueur brillante. Belle couleur, saveur pleine et forte.

Conseils de préparation
1 petite cuillerée par tasse d'eau à 95 °C. Laissez infuser 3 min.

Kavuzi

Caractéristiques
Thé à petites feuilles LTP produit au nord du pays. Donne un thé fort et coloré.

Conseils de préparation
1 petite cuillerée par tasse d'eau chaude à 95 °C. Laissez infuser 3 min.

Conseils de dégustation

Se boit avec du lait à toute heure du jour, en particulier le matin.

Conseils de dégustation

Un bon thé de petit déjeuner. Se boit avec du lait.

AFRIQUE DU SUD

Le thé Zoulou a trouvé une place de choix sur les marchés d'Europe et des États-Unis.

ES PREMIERS PLANTS de thé d'Afrique du Sud, provenant du Jardin botanique de Kew à Londres, furent plantés en 1850 au sud du fleuve Limpopo, dans le jardin botanique de Durban, au Natal. Lorsque la culture industrielle débuta en 1877, les graines provenaient de l'Assam. En 1881-1882, la production dépassa à peine un quart de tonne ; en 1884-1885, elle atteignit 28,5 t. En 1886, le Natal produisit 40 t – qui furent consommées sur place – et en 1889 il y avait environ une douzaine de plantations couvrant 440 ha.

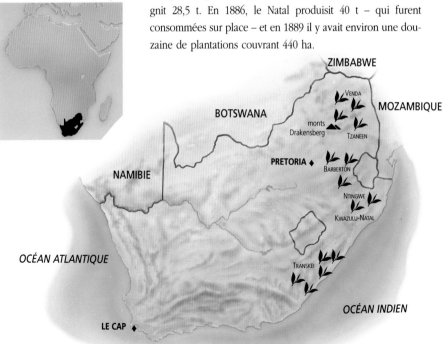

Emballage du thé dans une manufacture d'Afrique du Sud.

Au début du xxe siècle, le Kwazulu-Natal se mit à la culture industrielle. En 1949, la production cessa à cause de la crise qui sévissait sur le marché mondial. Dans les années soixante fut créée la Sapekoe, une compagnie de production de thé. De nouvelles plantations virent le jour le long des monts Drakensberg (est du Transvaal), dans certaines parties du Natal et au Transkei. Depuis 1973, d'autres plantations se sont établies dans la région de Levubu, au Venda, et au cœur du pays zoulou, près de Ntingwe.

Cueillette du thé.

L'Afrique du Sud est aussi célèbre pour le thé Rooibosch (Rositea) ou thé rouge, issu de *Aspalathus linoaris* et non de *Camellia sinensis*. La liqueur, qui d'aspect et de goût ressemble beaucoup au thé, se boit avec du lait. Elle commence à être appréciée en Europe et aux États-Unis. Sa popularité tient sûrement au fait qu'elle ne contient pas du tout de théine, et qu'elle est riche en vitamine C, en sels minéraux et en protéines.

Les feuilles sont cueillies entre novembre et mars, pendant la courte saison des pluies, et traitées selon un procédé CTC modifié. Au début des années quatre-vingt-dix, la sécheresse eut un effet déplorable sur la production et la qualité. Toutefois, les théiers ont remarquablement bien récupéré et l'industrie du thé sud-africaine a retrouvé un certain optimisme dans le domaine de la production et de la consommation intérieure.

Les Sud-Africains boivent approximativement 10 milliards de tasses de thé par an, dont 60 % de thé en sachets. Cette forte consommation intérieure explique que presque tout le thé sud-africain soit vendu sur place et ne participe jamais aux ventes aux enchères. En revanche, le thé Zoulou, provenant de la plantation de Ntingwe dans le Kwazulu-Natal, est actuellement exporté et recueille un grand succès dans le nord de l'Angleterre ainsi qu'en Europe et aux États-Unis.

Thé Zoulou

Caractéristiques
Thé noir *clonal* qui donne une infusion vive et rafraîchissante.

Conseils de préparation
1 petite cuillerée par tasse d'eau à 95 °C. Laissez infuser 2 à 3 min.

Conseils de dégustation
)〗
Se boit avec du lait. Parfait pour le petit déjeuner.

TANZANIE

La qualité du thé varie selon l'altitude et le type de cueillette.

L ES COLONS ALLEMANDS furent les premiers à cultiver du thé en Tanzanie, aux environs de 1905, mais la production industrielle ne débuta pas avant 1926. Une manufacture ouvrit ses portes à Mufindi en 1930, et l'industrie du thé se développa à un rythme régulier dans les régions montagneuses du Sud et autour d'Usambara. Aujourd'hui, les principales régions productrices sont Rungwa, Mufindi, Njombe, Usambara et Kagera. La superficie cultivée avoisine les 20 000 ha, la moitié appartenant à des producteurs privés et le reste à des petits exploitants.

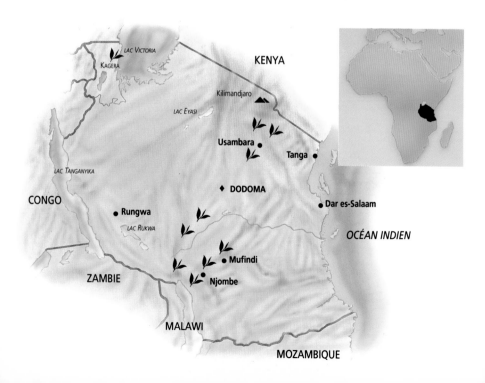

La production à petite échelle débuta en 1961. Elle représente aujourd'hui 30 % du thé vert récolté dans le pays. L'industrie du thé fonctionne à deux niveaux : les plantations privées cultivent et manufacturent leur propre thé ; la Tanzania Tea Authority (TTA) achète les feuilles aux petits propriétaires et les traite dans ses propres manufactures. Actuellement, le secteur privé possède 14 manufactures et la TTA cinq ; deux autres appartiennent à la TTA et au privé.

La production varie selon plusieurs facteurs : manque de moyens de transport pour acheminer les feuilles à la manufacture, manque de main-d'œuvre pour la cueillette en période de pointe, manque de carburant, vétusté des manufactures, sécheresse… Toutefois, la production a augmenté ces huit dernières années. Des investissements plus importants et des conditions de vente à l'exportation plus intéressantes ont élargi les perspectives.

Environ 70 % du thé de Tanzanie est exporté – les 30 % restants sont consommés sur place. La qualité du thé varie selon l'altitude et les types de cueillette. Certaines manufactures produisent du thé CTC de bonne qualité dans les grades BP1 (Broken Pekoe), PF (Pekoe Fannings) et PD (Pekoe Dust).

Kilima

Caractéristiques
Excellent thé noir cultivé entre 1 800 et 2 100 m. Ressemble au thé de Ceylan. Donne une infusion forte et fruitée.

Conseils de préparation
1 petite cuillerée par tasse d'eau à 95 °C.
Laissez infuser 2 à 3 min.

Conseils de dégustation

Thé de petit déjeuner. Se boit avec du lait.

Préparation des boutures pour la pépinière.

Le
Sous-Continent
Indien

INDE

Un des premiers pays producteurs de thé du monde, avec plus de 13 000 jardins.

A LA FIN DU XVIe SIÈCLE, un explorateur hollandais qui avait doublé le cap de Bonne-Espérance pour se rendre à Goa, sur la côte ouest de l'Inde, parla de cette coutume qu'avaient les Indiens de boire du thé. Dans son livre *Les Voyages de Jan Huyghen Van Linschoten*, publié en 1598, il raconte que les Indiens utilisaient les feuilles du théier d'Assam comme légume et comme boisson.

PAKISTAN

DELHI

SIKKIM

ASSAM

Gange

Darjeeling

Dooars

Calcutta

Bombay

MER D'OMAN

GOLFE DU BENGALE

Madras

monts Nilgiri

SRI LANKA

En 1784, le botaniste britannique Joseph Banks déclara que le climat indien était favorable à la culture du thé, sans savoir qu'il y poussait déjà. En 1823, un major écossais du nom de Robert Bruce rencontra des Indiens buvant un thé d'une variété différente de la variété chinoise que l'on connaissait déjà. Avec son frère Charles, qui travaillait pour la Compagnie des Indes orientales, il s'arrangea pour faire cultiver quelques-uns de ces plants indigènes dans le jardin botanique de Calcutta.

Malgré la détermination de la Compagnie des Indes à croire que seuls les plants chinois pouvaient se prêter à une exploitation industrielle, en 1835, les frères Bruce réussirent à la convaincre du fait que *Camellia assamica* prospérerait là où *Camellia sinensis* ne pourrait s'adapter. Des plantations furent créées et la première livraison de huit coffres de thé d'Assam arriva à Londres en 1838. Cette nouvelle affaire ne fut pas rentable avant 1852. On pensa tout d'abord que ce serait l'occasion de donner du travail aux Indiens de la région, mais en fait les premières plantations utilisèrent de la main-d'œuvre importée de Chine.

L'Assam Tea Company, fondée en 1840, étendit rapidement ses activités dans d'autres régions du nord de l'Inde. La production augmenta régulièrement, et les exportations passèrent de 180 t par an en 1853 à 6 700 t en 1870. En 1885, la production atteignit 35 000 t

(dont 34 000 pour l'exportation). En 1947, lorsque l'Inde acquit son indépendance, la production s'élevait à 280 000 t.

Aujourd'hui, l'Inde est un des plus grands producteurs de thé du monde. Avec plus de 13 000 jardins et une main-d'œuvre forte de deux millions de personnes, l'Inde produit environ 30 % des thés noirs du monde et 65 % des thés CTC. Le passage du procédé orthodoxe au procédé CTC dans la majorité des manufactures indiennes fut motivé par l'expansion des marchés britannique et irlandais, ainsi que par la demande croissante, à partir des années cinquante, pour un thé fort et rapide à infuser, destiné à une présentation en sachets.

Les jardins indiens ont différentes méthodes de production selon les marchés. Certains se consacrent à la production de Fannings et de Dust CTC destinés à l'exportation. D'autres produisent principalement des thés *broken* (à feuilles brisées) et des Fannings pour le marché intérieur, d'autres encore manufacturent des thés orthodoxes à feuilles entières avec des *golden tips* (pointes dorées) pour un marché spécialisé.

En 1993, 585 000 t de thés CTC furent produites (contre 544 000 t en 1992), soit presque 83 % de la production totale. La fabrication des thés orthodoxes s'est légèrement ralentie ces dernières années. Le marché intérieur croît à un rythme régulier depuis un demi-siècle. En 1951, la

Clones haut de gamme de thés Nilgiri.

Cueillette à la cisaille dans une plantation de Nilgiri.

demande intérieure était de 80 000 t seulement (environ 30 % de la production). En 1991, elle avait atteint 573 000 t (environ 75 % de la production). Les planteurs indiens ont toujours réussi à remplir leurs engagements à l'exportation et le Tea Board (Office du thé) indien, aidé des groupes de chercheurs qui lui sont affiliés dans les principales zones de culture du nord et du sud du pays, poursuit une stratégie à long terme d'augmentation de la production et de la productivité.

Un aspect de ce programme est de protéger la réputation des trois principaux thés indiens – Darjeeling, Assam et Nilgiri. La renommée mondiale de ces thés s'étant amplifiée au fil des ans, pour répondre à une demande internationale croissante, certains négociants proposèrent des thés étiquetés en tant que Purs Darjeeling, Purs Assam et Purs Nilgiri, qui étaient en réalité mélangés avec des thés provenant d'autres régions. Il s'avéra donc nécessaire de garantir la qualité de ces thés.

Logotypes des thés d'origine.

À cet effet, le Tea Board of India créa trois logotypes différents. Celui de Darjeeling montre une cueilleuse indienne de profil tenant une pousse de thé pourvue d'un bourgeon et de deux feuilles, le logo de l'Assam figure un rhinocéros, familier de la vallée du Brahmapoutre, et celui de Nilgiri représente les montagnes bleues de l'Inde du Sud. Ces symboles aident le consommateur à identifier ces trois thés et leur origine pure.

Le schéma des exportations indiennes s'est considérablement transformé depuis 1947. Cette année-là, le Royaume-Uni était le principal acheteur (140 000 t, soit 66 % des exportations), et de très petites quantités étaient achetées par l'Europe de l'Est et certains États arabes. Aujourd'hui, les principaux clients de l'Inde sont l'Iran, la Pologne, l'Égypte et l'ex-URSS, alors que les achats des Britanniques ne représentent plus que 15 % du chiffre total des exportations. Le Japon est un nouveau venu qui montre une préférence pour les Darjeeling, les thés orthodoxes à pointes dorées et les Nilgiri.

Bien que l'Inde produise essentiellement des thés noirs, elle manufacture aussi du thé vert en petite quantité dans la vallée de Kangra, près de Dehli, surtout pour l'Afghanistan. L'Inde possède aussi plusieurs plantations pratiquant la culture biologique, notamment Mullootor et Makaibari dans la région de Darjeeling.

ASSAM

Aujourd'hui, le thé est cultivé sur les deux rives du Brahmapoutre, la plus grande région productrice de thé noir du monde. En 1993, un siècle et demi après l'arrivée des premières caisses de thé à Londres, la production des 2 000 jardins d'Assam atteignit le chiffre record de 444 000 t, soit 53 % de la récolte du pays entier (838 000 t).

La vallée du Brahmapoutre, située à moins de 200 km de Darjeeling, est limitrophe de la Chine, de la Birmanie et du Bangladesh. Les plantations sont arrosées abondamment (de 2 000 à 3 000 mm d'eau par an), mais le régime des pluies est irrégulier : il peut tomber de 250 à 300 mm par jour lors de la mousson. Pendant cette saison de fortes pluies, la température est de 35 °C, et cette atmosphère de serre, chaude et humide, produit des thés parmi les meilleurs du monde.

La récolte s'effectue surtout entre juin et septembre. Un millier de cueilleurs travaillent huit heures par jour dans les jardins, pour ramasser chacun 50 000 pousses. Les conditions sont pénibles ; en plus de la chaleur intense, les serpents et les insectes rendent la vie insupportable. Les feuilles sont jetées dans un panier accroché dans le dos et retenu par une lanière qui passe sur le front.

Afin de satisfaire la demande intérieure et de continuer à exporter de façon régulière, les producteurs d'Assam se sont attachés ces dernières années à sélectionner des graines et des plants haut de gamme et à les multiplier par clonage. Ils ont aussi introduit la cueillette mécanisée sur certaines zones, pour pallier le manque de main-d'œuvre en période de pointe.

Jeunes théiers faisant partie d'un programme d'amélioration du drainage dans l'Assam.

Les thés orthodoxes et CTC manufacturés sont transportés par camion jusqu'aux centres de vente aux enchères les plus proches à Guwuhati (pour le marché intérieur), Silgiri et Calcutta (pour le marché étranger).

ASSAM *FIRST FLUSH*

Les théiers d'Assam démarrent leur croissance en mars, après la période hivernale de dormance, et la première récolte se fait de huit à dix semaines plus tard. Les Assam *first flush*, à l'inverse des Darjeeling, sont peu commercialisés en Europe et aux États-Unis.

ASSAM *SECOND FLUSH*

La cueillette de la deuxième récolte commence en juin pour s'achever en septembre. Le dessous des grandes feuilles de *Camellia assamica* est recouvert d'un duvet argenté. Ces thés haut de gamme donnent une infusion cristalline rouge sombre à l'arôme riche, au goût puissant et malté, qui convient parfaitement au petit déjeuner.

Napuk

Caractéristiques
Goût équilibré, arôme superbe, toutes les qualités d'un Assam de bonne facture.

Conseils de préparation
1 petite cuillerée par tasse d'eau à 95 °C. Laissez infuser 3 à 4 min.

Conseils de dégustation
)‼
Se boit avec du lait. Très bon avec du pain grillé et de la confiture.

Bamonpookri

Caractéristiques
Thé à feuilles régulières brun verdâtre. Infusion d'excellente qualité, au goût corsé et astringent.

Conseils de préparation
1 petite cuillerée par tasse d'eau à 95 °C. Laissez infuser 3 min.

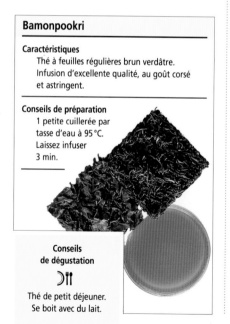

Conseils de dégustation
)‼
Thé de petit déjeuner. Se boit avec du lait.

Thowra

Caractéristiques
Thé à feuilles magnifiques, avec beaucoup de pointes dorées. Liqueur épicée, pleine et puissante.

Conseils de préparation
1 petite cuillerée par tasse d'eau à 95°C
Laissez infuser 3 à 4 min.

Conseils de dégustation

Un excellent thé du matin. Meilleur avec du lait.

Autres jardins recommandés

Betjan, Bhuyanphir, Borengajuli, Dinjoye, Hajua, Halmari, Harmutty, Jamirah, Maud, Meleng, Nokhroy, Numalighur, Sankar, Seajuli, Sepon, Silonibari et Tara.

ASSAM BLEND

Les mélanges d'Assam, pleins et puissants, au goût malté, sont idéals pour le matin, en particulier avec les petits déjeuners salés.

Assam Blend

Caractéristiques
Liqueur rouge forte et pleine, au goût astringent et malté.

Conseils de préparation
1 petite cuillerée par tasse d'eau à 95°C.
Laissez infuser 3 à 4 min.

Conseils de dégustation

Thé du matin ou d'après-midi. Se boit avec du lait.

ASSAM VERT

En Inde, le thé vert représente à peine plus de 1% de la production totale. L'Assam en produit très peu, mais cette liqueur singulièrement légère, presque sucrée, vaut la peine d'être goûtée.

Khongea

Caractéristiques
Thé vert d'Assam. Des jeunes feuilles qui donnent une liqueur limpide et dorée, à l'arôme parfumé et à la saveur sucrée.

Conseils de préparation
1 petite cuillerée par tasse d'eau à 90-95 °C. Laissez infuser 2 min 30.

Conseils de dégustation

Un thé de détente. Se boit sans lait, à n'importe quelle heure de la journée.

DARJEELING

Nichée sur les contreforts de l'Himalaya au nord-est de l'Inde, à 1 800 m d'altitude, dans un environnement spectaculaire, la ville de Darjeeling est entourée de plus de 20 000 ha de jardins de thé. Par beau temps, on peut apercevoir l'Everest dans le lointain. On qualifie souvent les bons Darjeeling de «champagne» des thés; leur subtile saveur de muscat et leur arôme merveilleux sont le résultat d'une association de facteurs favorables unique : un climat frais et humide, l'altitude, les chutes de pluie, le terrain, la qualité du sol et de l'air.

La plupart des théiers cultivés dans la région de Darjeeling sont issus de graines chinoises, d'hybrides chinois ou d'hybrides d'Assam. Les plants chinois, plus résistants au froid, se trouvent dans les plantations situées à 1 800 m d'altitude au nord de Darjeeling, où les théiers poussent sur un terrain abrupt. Dans les plantations du Sud, moins élevées, les plants d'Assam apprécient les pluies abondantes. Les 83 jardins de Darjeeling produisent environ 16 500 t de thé par an. Les cueilleuses (ce sont toujours des femmes) commencent à ramasser les feuilles tôt le matin et travaillent parfois sur des pentes en terrasse à 45 degrés.

À cause du climat et de la haute altitude, les théiers de Darjeeling ne poussent pas

Plantation de thé clonal *à Darjeeling.*

toute l'année. Le thé est récolté entre avril et octobre ; débute alors la période hivernale de dormance.

La croissance redémarre en mars, après les premières averses du printemps. À ce moment intervient la récolte de printemps ou *first flush*. La récolte d'été ou *second flush* a lieu en mai et juin. La mousson, qui atteint la région au milieu du mois de juin et dure jusqu'à la fin du mois de septembre, apporte de 2,70 à 4,80 m d'eau. Les thés produits à cette période ont un fort taux d'humidité et sont de qualité standard. Les feuilles, traitées selon la méthode orthodoxe, ont une apparence brun-noir et sont roulées serré, avec beaucoup de pointes dorées.

DARJEELING *FIRST FLUSH*

Les premières pousses nouvelles de théiers de Darjeeling sont cueillies en avril. Ces premiers thés de la saison, très recherchés, atteignent des prix incroyablement élevés dans les ventes aux enchères internationales. Une partie des meilleurs thés *first flush* va en France, en Allemagne, où ils sont très cotés depuis les années soixante, et en Russie. Les Darjeeling *first flush* sont attendus avec impatience, un peu comme le beaujolais nouveau, et la récolte est expédiée par avion dans les pays concernés de deux à quatre semaines après leur manufacture (il faudrait normalement attendre quatre semaines de plus). La liqueur est servie à l'occasion de séances de dégustation spéciales et d'*afternoon teas* qui sont entourés d'un maximum de publicité.

Castleton

Caractéristiques

Thé de feuilles parfaites brun-vert avec beaucoup de pointes dorées, provenant d'un des plus prestigieux jardins de la région. Son parfum est exquis et il a le goût de muscat vert.

Conseils de préparation

1 ½ petite cuillerée par tasse d'eau à 95 °C. Laissez infuser 2 à 3 min.

Conseils de dégustation

Thé d'après-midi qui se boit sans lait. Se marie bien avec le saumon fumé et avec des fraises nappées de crème.

Cueilleuses de thé à Darjeeling.

Bloomfield

Caractéristiques

Thé exquis. Des feuilles magnifiques, avec beaucoup de pointes blanches. Sa saveur subtile et astringente est typique des Darjeeling *first flush*.

Conseils de préparation

1 ½ petite cuillerée par tasse d'eau à 95 °C. Laissez infuser de 2 à 3 min.

Conseils de dégustation

🫖

Thé d'après-midi.
Se boit sans lait.

Autres jardins recommandés

Ambootia, Badamtam, Balasun, Gielle, Goomtee, Gopaldhara, Kalej Valley, Lingia, Millikthong, Mim, Namring, Orange Valley, Pandam, Seeyok, Singtom, Soureni, Springside et Thurbo.

Margaret's Hope

Caractéristiques

Thé de grand prix provenant d'un jardin célèbre. De jolies feuilles brun-vert, avec des pointes dorées, donnant une liqueur cristalline et brillante à la saveur douce et délicate.

Conseils de préparation

1 petite cuillerée par tasse d'eau à 95 °C. Laissez infuser 2 à 3 min.

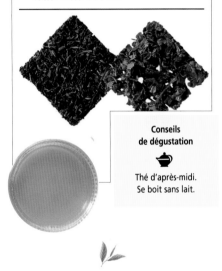

Conseils de dégustation

🫖

Thé d'après-midi.
Se boit sans lait.

DARJEELING *IN-BETWEEN*

Les Darjeeling *in-between* (ou intermédiaires), cueillis en avril et en mai, donnent une infusion dont la saveur allie la verdeur et l'astringence des jeunes feuilles *first flush* à la maturité plus ronde des thés *second flush* du début de l'été. Ces thés sont plus rares mais il est intéressant de les essayer. Ils se boivent sans lait.

Darjeeling *SECOND FLUSH*

Les Darjeeling *second flush*, cueillis en mai et en juin, sont des thés d'une grande finesse, considérés comme les plus caractéristiques de l'excellence des Darjeeling. Ils ont une saveur plus ronde, plus fruitée, plus mûre et moins astringente que celle des thés précoces. Les feuilles sont d'un brun plus foncé, avec beaucoup de pointes argentées.

Namring

Caractéristiques
Des feuilles magnifiques, qui donnent un goût fruité, bien équilibré.

Conseils de préparation
1 petite cuillerée par tasse d'eau à 95 °C. Laissez infuser 3 min.

Conseils de dégustation

Un thé d'après-midi à réserver pour les grandes occasions.

Puttabong

Caractéristiques
Liqueur très douce au goût prononcé de muscat. Un des meilleurs *second flush*.

Conseils de préparation
1 petite cuillerée de thé par tasse d'eau à 95 °C. Laissez infuser 3 min.

Conseils de dégustation

Se boit sans lait, à tout moment de la journée.

Autres jardins recommandés

Badamtam, Balasun, Bannockburn, Castleton, Gielle, Glenburn, Jungpana, Kalej Valley, Lingia, Makaibari biologique, Moondakotee, Nagri, Phoobsering, Risheehat, Singbulli, Snowview, Soom, Teesta Valley, Tongsong et Tukdah.

DARJEELING *AUTUMNAL*

Les Darjeeling d'automne, cueillis en octobre et novembre, donnent après traitement des feuilles brun foncé de très bonne qualité. L'infusion est cuivrée, beaucoup plus sombre que celle des thés plus précoces.

Margaret's Hope

Caractéristiques
De grandes feuilles brun foncé qui donnent une liqueur pleine et forte, à la saveur ronde et à l'arôme sublime.

Conseils de préparation
1 petite cuillerée par tasse d'eau à 95 °C. Infusion, 3 min.

Conseils de dégustation
✸
Avec ou sans lait, à tout moment de la journée.

Autres jardins recommandés

Sungma et Pussimbing.

DARJEELING BLEND

Les thés provenant de plusieurs jardins et de cueillettes pratiquées à différentes saisons sont mélangés pour donner une liqueur de grande qualité, à la saveur unique en son genre et à l'arôme sublime.

Darjeeling Blend

Caractéristiques
Un délicat mélange de thés des meilleurs jardins. Infusion légère à la subtile saveur de muscat et à l'arôme prononcé.

Conseils de préparation
1 petite cuillerée par tasse d'eau à 95 °C. Laissez infuser 3 min.

Conseils de dégustation
🫖
Un thé d'après-midi. Se boit avec un peu de lait ou sans.

Boîte de thé Darjeeling de grande qualité.

DARJEELING VERT

Bien que Darjeeling se consacre essentiellement à la production de thés noirs, on pense
que la demande en thé vert de bonne qualité
va augmenter, en raison notamment des vertus thérapeutiques qui lui sont attribuées
(Darjeeling n'est pas la seule région d'Inde à
produire maintenant du thé vert).

DOOARS

Dooars, petite province de l'ouest de l'Assam,
produit des thés *low-grown*, de couleur
sombre, qui ont du corps mais moins de
caractère que les Assam. Ce sont de bons
thés de journée, qui se boivent volontiers le
matin ou l'après-midi.

Arya

Caractéristiques
   Thé rare d'un jardin bien connu. Donne
   une infusion qui évoque le Sencha japonais.
   Un arôme exquis, un goût délicat.

Conseils de préparation
   1 petite cuillerée par tasse
   d'eau à 70 °C. Infusion, 3 min.

Conseils de dégustation
Se boit sans lait
comme thé digestif
ou pour se désaltérer.

Good Hope

Caractéristiques
   Une infusion joliment colorée, fraîche
   et fleurie.

Conseils de préparation
   1 petite cuillerée par tasse d'eau à 95 °C.
   Laissez infuser 3 à 4 min.

Conseils de dégustation
Un thé de journée qui
supporte un peu de lait.

Autre jardin recommandé

Risheehat.

NILGIRI

Les monts Nilgiri ou montagnes Bleues, qui se situent à la pointe sud-ouest de l'Inde, vont de l'État du Kerala, une autre région productrice de thé, à l'État du Tamil Nadu. On trouve, au milieu des montagnes, des prairies et des jungles où les éléphants circulent en troupeaux. Cette région fut consacrée à la culture du thé en 1840, lorsque le colonel John Outcherloney, qui procédait à une expertise topographique dans cette région, découvrit une forêt vierge, bien irriguée par ses propres rivières. Cet endroit, avec une altitude de 1 350 m environ et une pluviosité de 2 000 mm par an, était idéal pour la culture du thé et du café. Le frère de John, James, créa les plantations, importa la main-d'œuvre et la nourriture, et la production débuta.

Aujourd'hui, les théiers plantés parmi les eucalyptus, les cyprès et les gommiers bleus,

Le « Nilgiri Queen » traverse la plantation de Glendale, dans les monts Nilgiri.

Champ de théiers typique de Nilgiri, en bordure de jungle, avec les arbres qui fournissent de l'ombre.

à une altitude variant de 300 à 1800 m, recouvrent une superficie de 25 000 ha. Ils produisent environ 60 000 t de thé par an, ce qui fait de Nilgiri la deuxième région productrice de thé d'Inde après l'Assam. Chaque plateau, chaque pente, chaque vallée est couvert d'arbustes récoltés toute l'année durant. Une grande partie des plantations reçoit deux moussons par an, ce qui donne deux grandes périodes de récolte : une en avril-mai, qui représente 25 % de la récolte annuelle ; et une de septembre à décembre, où 35 à 40 % de plus sont cueillis. Les autres cueillettes s'étalent sur le reste de l'année. C'est ainsi que le thé acquiert sa saveur unique au monde.

Nilgiri produit des thés raffinés, donnant des liqueurs brillantes, vives, à la saveur douce et ronde. Ce sont des thés puissants, qui se mélangent idéalement avec des thés plus légers ; ils sont goûteux mais n'ont pas beaucoup de corps.

Nunsuch

Caractéristiques
Thé à grandes feuilles qui donne une infusion brillante, fruitée, pleine de saveur.

Conseils de préparation
1 petite cuillerée par tasse d'eau à 95 °C. Laissez infuser 3 à 4 min.

Conseils de dégustation

Se boit toute la journée, avec un peu de lait.

Autres jardins recommandés

Chamraj, Corsley, Havukal, Tigerhill, Pascoes Woodlands, et Tungmullay.

SIKKIM

Ce petit État indien produit des thés comparables en caractère aux Darjeeling, mais avec plus de corps et une saveur fruitée. Très peu sont exportés, aussi risquent-ils d'être difficiles à trouver.

Temi

Caractéristiques
Thé orthodoxe haut de gamme de type Darjeeling. Magnifiques feuilles et beaucoup de pointes dorées. Une liqueur parfumée à la saveur fruitée rappelant presque le miel.

Conseils de préparation
1 petite cuillerée par tasse d'eau à 95 °C. Laissez infuser 3 min.

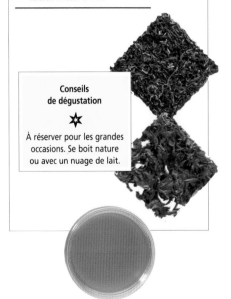

Conseils de dégustation

À réserver pour les grandes occasions. Se boit nature ou avec un nuage de lait.

TERAI

Le Terai est cultivé dans la plaine située au sud de Darjeeling. Il donne une infusion richement colorée, avec un goût épicé prononcé. On l'utilise dans les mélanges.

TRAVANCORE

Travancore, à la même altitude que le Sri Lanka, produit des thés aux caractéristiques similaires à celles des thés de Ceylan, et qui rappellent aussi ceux du nord de l'Inde.

Ord

Caractéristiques
Belle infusion pâle et cuivrée. Goût puissant.

Conseils de préparation
1 petite cuillerée par tasse d'eau à 95 °C. Laissez infuser 3 à 4 min.

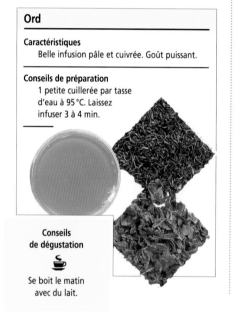

Conseils de dégustation

Se boit le matin avec du lait.

Highgrown

Caractéristiques
Liqueur cuivrée au goût puissant, plein et légèrement terreux.

Conseils de préparation
1 cuillerée par tasse d'eau à 95 °C. Infusion, 3 à 4 min.

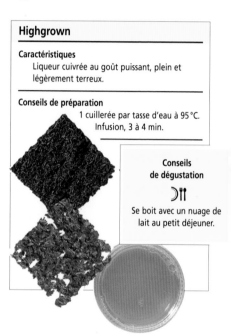

Conseils de dégustation

Se boit avec un nuage de lait au petit déjeuner.

THÉS DU SUD DE L'INDE

Les thés provenant d'autres régions du sud de l'Inde – Kerala, Madras et Mysore – tendent à être commercialisés sous l'appellation de Travancore. Le Tea Board of India fait uniquement la promotion des Darjeeling, des Assam et des Nilgiri en tant que thés d'origine, qui se boivent purs.

Les régions d'Inde du Sud (40 000 exploitations) produisent 193 000 t de thé par an, dont le quart est exporté.

SRI LANKA

*Les thés provenant de la région la plus élevée de l'île sont considérés comme
le «champagne» des thés de Ceylan.*

A VANT LES ANNÉES 1860, la culture principale de l'île de Sri Lanka – Ceylan à l'époque – était le café. Mais, en 1869, le champignon responsable de la rouille du café, *Hemileia vastatrix*, détruisit la majorité des plants de café et les propriétaires durent opter pour la diversification. La plantation Loolecondera s'intéressait au thé depuis les années 1850; en 1866, James Taylor, un Écossais fraîchement débarqué, fut choisi pour superviser les premières semailles de graines de théiers, effectuées en 1867 sur 7 ha de terrain.

INDE

GOLFE DE MANNAR

Kandy

Dimbula

COLOMBO ◆

Uva

Adam's Peak

Nuwara Eliya

GOLFE DU BENGALE

Ratnapura

Galle ●

Taylor, qui avait acquis les rudiments de la culture du thé en Inde du Nord, installa une fabrique expérimentale sous la véranda de son bungalow, où le roulage du thé était effectué à la main sur des tables. On le séchait ensuite dans des poêles en terre installés sur des feux alimentés au charbon. Les feuilles étaient posées sur des grilles en métal. Ces thés étaient vendus localement et on les trouvait délicieux. En 1872, Taylor disposait d'une fabrique moderne. L'année suivante, ses thés de première qualité se vendirent à bon prix aux enchères de Londres. Taylor fut l'artisan de la réussite de la culture du thé à Ceylan. De 1873 à 1880, la production passa de 23 livres à 80 t, et en 1890 elle atteignit 22 900 t.

La plupart des jardins de Ceylan se situent entre 900 et 2 400 m d'altitude au sud-ouest de l'île, à l'est de Colombo, et dans le district de Galle, au sud. Dans les plaines et sur les contreforts des montagnes, placés sous l'emprise d'un climat chaud et humide, les théiers se dotent de nouvelles feuilles tous les sept ou huit jours et la cueillette s'étale sur toute l'année. Les thés les plus fins sont récoltés entre la fin juin et la fin août dans les districts de l'Est, et entre le début février et la mi-mars dans ceux de l'Ouest.

Avant 1971, plus de 80 % des plantations appartenaient à des compagnies britanniques, puis le gouvernement sri lankais vota une loi donnant à l'État le contrôle de la

Les cueilleuses mettent les feuilles dans des paniers.

majorité des plantations (qui produisent aussi du caoutchouc et des noix de coco pour l'exportation) ; un tiers environ resta aux mains du secteur privé. Depuis 1990, un programme de restructuration a été mis en place pour que les compagnies privées (sri lankaises et étrangères) s'investissent dans les plantations devenues propriété de l'État. L'objectif à long terme est de faire prendre aux compagnies privées une grande partie de la responsabilité financière et de leur laisser la direction des plantations qui, elles, resteraient toujours la propriété du gouvernement.

Ces dernières années, à cause de graves problèmes politiques, industriels et économiques, le Sri Lanka est passé de premier à huitième producteur mondial. Les producteurs doivent prendre des décisions importantes concernant les méthodes de culture, la variété des produits et les marchés à l'exportation. Bien que le Royaume-Uni ait été autrefois le plus gros client du Sri Lanka, presque 70% de la production va aujourd'hui en Russie, au Moyen-Orient et en Afrique du Nord. Traditionnellement, le marché arabe préfère les thés orthodoxes, mais les consommateurs se convertissent progressivement aux goûts des Européens et sont de plus en plus friands de thé en sachets. Or, les thés orthodoxes de Ceylan, très raffinés, considé-rés par beaucoup comme les meilleurs thés du monde, ne se prêtent pas à la mise en sachets. Seulement 3% de la production était CTC, et à l'heure actuelle les producteurs doivent décider ou non de se convertir à la production de thé CTC pour conquérir un marché plus vaste.

Certains fabricants pensent qu'il y aura toujours un marché pour les thés orthodoxes, d'autres pensent que l'avenir est au CTC. On souhaite également trouver de nouveaux clients pour toute une gamme de thés pré-emballés désormais commercialisés. Les produits contenant 100% de thé de Ceylan utilisent l'emblème du lion créé par le Ceylon Tea Board, qui garantit l'origine et protège l'image de qualité des thés du Sri Lanka.

Logo du thé de Ceylan.

Les meilleurs thés du Sri Lanka proviennent d'arbres situés à plus de 1 200 m d'altitude. Les théiers poussent plus lentement sous ce climat frais et brumeux, et se récoltent plus difficilement à cause du terrain abrupt.

Il y a six grandes régions productrices de thé : Galle, au sud de l'île, Ratnapura, à environ 80 km à l'est de la capitale Colombo, Kandy, région de basse altitude près de l'ancienne capitale royale, Nuwara Eliya, région la plus élevée, qui produit les thés les plus raffinés, Dimbula, à l'ouest des montagnes du centre, et Uva, à l'est de Dimbula.

Chaque thé possède une couleur, un arôme et un goût particuliers. Les thés *low-grown*, cultivés entre 450 et 550 m, sont de bonne qualité. Ils donnent une liqueur forte et colorée qui n'a pas la saveur particulière, vive et astringente, des thés cultivés à plus haute altitude. Ils sont généralement utilisés dans les mélanges. Les thés *mid-grown*, cultivés entre 550 et 1 000 m, donnent une liqueur colorée au goût riche. Les thés *high-grown*, cultivés entre 1 000 et 2 200 m, sont les meilleurs ; ils donnent une jolie liqueur dorée à la saveur puissante et intense. En plus de ces merveilleux thés noirs, certaines plantations produisent aussi du thé blanc à pointes argentées donnant une liqueur très pâle (de couleur paille) qui se boit nature. Tous les thés noirs de Sri Lanka peuvent se boire avec un peu de lait.

D I M B U L A

Comme Nuwara Eliya, la région de Dimbula est inondée par la mousson en août et en septembre, et produit ses meilleurs thés pendant les mois de la saison sèche (janvier et février). Ses thés sont prisés pour leur corps et leur arôme puissant.

Kenilworth

Caractéristiques
De belles et longues feuilles d'Orange Pekoe torsadées qui donnent une liqueur pleine et forte, au goût exquis évoquant le chêne.

Conseils de préparation
1 cuillerée par tasse d'eau à 95 °C. Infusion, 3 à 4 min.

Conseils de dégustation

Se boit l'après-midi, avec un nuage de lait.

Autres jardins recommandés

Diyagama, Loinorn, Pettiagalla, Redalla, Somerset, Strathspey et Theresia.

GALLE

Cette région du sud de l'île est spécialisée dans les Flowery Orange Pekoe et les Orange Pekoe à feuilles régulières, qui donnent une liqueur couleur ambre à l'arôme parfumé et au goût raffiné et subtil.

Devonia

Caractéristiques
Une feuille bien faite, qui donne une infusion dorée au goût subtil et parfumé.

Conseils de préparation
1 petite cuillerée par tasse d'eau à 95 °C.
Laissez infuser de 3 à 4 min.

Conseils de dégustation

Excellent pour l'après-midi.
Se boit avec un peu de lait.

Allen Valley

Caractéristiques
Feuilles magnifiques, qui donnent une liqueur douce et parfumée.

Conseils de préparation
1 petite cuillerée de thé par tasse d'eau à 95 °C
Infusion, 3 à 4 min.

Conseils de dégustation

Se boit l'après-midi, avec un nuage de lait.

Galaboda

Caractéristiques

Feuille régulière, qui donne une magnifique liqueur colorée, à l'arôme exquis et au goût riche et suave.

Conseils de préparation

1 cuillerée par tasse d'eau à 95 °C.
Laissez infuser 3 à 4 min.

**Conseils
de dégustation**

Se boit avec du lait à toute heure de la journée.

Autre jardin recommandé

Berubeula.

NUWARA ELIYA

Ces thés, de la région la plus élevée de l'île, sont souvent décrits comme le «champagne» des thés de Ceylan. Les feuilles se récoltent toute l'année, mais les thés les plus fins s'obtiennent à la cueillette de janvier et février. Les meilleurs thés de la région donnent une liqueur d'excellente qualité, riche et dorée, douce et brillante, délicatement parfumée.

Cueilleuse de thé de Ceylan.

Nuwara Eliya Estate

Caractéristiques
Une saveur vive et astringente,
un merveilleux parfum.

Conseils de préparation
1 petite cuillerée par tasse d'eau à 95 °C.
Laissez infuser de 3 à 4 min.

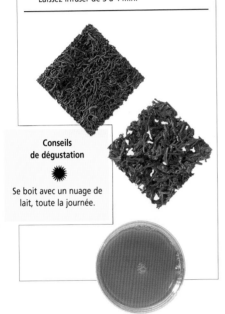

**Conseils
de dégustation**

Se boit avec un nuage de
lait, toute la journée.

Autres jardins recommandés

Gastotte, Lover's Leap et Tommagong.

RATNAPURA

Ratnapura produit des thés *low-grown* principalement utilisés dans les mélanges, mais qui
se boivent aussi purs, avec un nuage de lait.

Ratnapura

Caractéristiques
Thé à longues feuilles qui donne une infusion
à l'arôme assez doux, au goût discret et subtil.

Conseils de préparation
1 cuillerée par tasse d'eau à 95 °C
Laissez infuser 3 à 4 min.

**Conseils
de dégustation**

Thé d'après-midi,
qui se boit avec du lait.

UVA

Les plantations d'Uva, sur les pentes orientales des montagnes du centre de l'île, produisent des thés à la saveur délicieuse réputés dans le monde entier. Les meilleurs sont récoltés entre juin et septembre. Le vent sec qui souffle sur Uva à cette période donne aux thés un arôme et un goût raffinés.

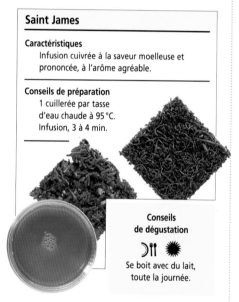

Saint James

Caractéristiques
Infusion cuivrée à la saveur moelleuse et prononcée, à l'arôme agréable.

Conseils de préparation
1 cuillerée par tasse d'eau chaude à 95 °C. Infusion, 3 à 4 min.

Conseils de dégustation
)♨️🍴 ☀️
Se boit avec du lait, toute la journée.

Autres jardins recommandés
Adawatte, Aislaby, Attempettia, Blairmond, Bombagalla, Dyraaba, High Forest et Uva Highlands.

BLENDS DE CEYLAN

Suivant la coutume établie au XIXᵉ siècle par sir Thomas Lipton, plusieurs compagnies commercialisent encore les Blends (mélanges) de Ceylan, connus sous les appellations de Ceylan Orange Pekoe ou Ceylan BOP, ou parfois sous les noms de leur plantation d'origine. Un bon mélange donnera une liqueur brillante, riche et cuivrée, au goût frais et astringent. Si le lion du Ceylon Tea Board figure sur le paquet, les mélanges sont 100 % Ceylan.

Un jeune théier.

L'Extrême

Orient

CHINE

Le plus grand choix au monde de thés haut de gamme,
dont certains sont encore traités à la main.

L A CULTURE INDUSTRIELLE du thé en Chine commença bien avant la naissance du Christ. Par le passé, les marchands chinois reconnaissaient plus de 8 000 variétés de thés différentes, classées selon cinq méthodes de fabrication, deux grades de qualité de fabrication, quatre grades de classification des feuilles et 200 noms de lieux. La culture du thé se pratiquait partout, dès lors que le paysan disposait d'une parcelle de terrain sur la petite exploitation familiale.

Roulage des feuilles à la main en Chine, au XVIIᵉ siècle.

Jusqu'à la fin du XIXᵉ siècle, les techniques utilisées pour la culture du thé demeurèrent ancestrales. Les graines ramassées en octobre germaient en hiver pour être plantées lors des pluies printanières. Les plus grandes plantations étaient établies sur les contreforts montagneux orientés au nord et à l'est, et on cultivait le millet et le blé parmi les théiers pour donner de l'ombre. Pendant les mois d'hiver, on protégeait les arbustes contre le gel avec de la paille. Un ancien proverbe chinois, maintes fois vérifié, dit que « les thés les plus fins viennent des hautes montagnes ». Les Chinois ont cependant fait pousser du thé partout, même à la périphérie des grandes

villes ou dans des lieux isolés, presque inaccessibles. Dans son livre *La Route du thé et des fleurs*, publié en 1852, Robert Fortune fait cette description des techniques d'élaboration du thé :

« Pendant les saisons de récolte, lorsque le temps est sec, on voit des familles regroupées sur les pentes des montagnes, occupées à cueillir les feuilles de thé. [...] Les plats de séchage sont en fer, ronds et peu profonds, et en fait identiques ou presque à ceux que les indigènes utilisent tous les jours pour faire cuire leur riz.

« Ces ustensiles deviennent brûlants presque tout de suite après que l'air chaud a commencé à circuler dans le tuyau qui passe dessous. Une bonne quantité de feuilles stockées dans un panier ou un tamis sont alors versées dans ces récipients, puis remuées. Les feuilles subissent immédiatement l'effet de la chaleur. En quelque cinq minutes elles perdent leur croustillant, deviennent moelleuses et souples. On les retire ensuite pour les mettre sur une table dont le dessus est fait de bambou refendu. [...] Trois ou quatre personnes sont maintenant autour de la table, le tas de feuilles est divisé en plusieurs parts, chacun prend dans ses mains autant de feuilles qu'il peut, et le roulage commence. »

Depuis la Révolution culturelle, des coopératives de thé ont été créées et la mécanisation a été introduite dans bon nombre de fabriques pour remplacer les méthodes manuelles séculaires. En certains endroits pourtant, la production manuelle a toujours cours.

À l'heure actuelle, le thé est cultivé dans 18 provinces : Anhui, Fujian, Gansu, Guangdong, Guizhou, Hainan, Henan, Hubei, Hunan, Jiangsu, Jiangxi, Shaanxi, Shangdong, Sichuan, Yunnan, Zhejiang, Tibet et Guangxi Zhuang ; les plus importantes sont le Zhejiang, le Hunan, le Sichuan, le Fujian et l'Anhui. La production est un monopole d'État, et sur les paquets figurent les informations concernant la compagnie responsable de la manufacture et de la commercialisation.

Ces coopératives d'État produisent des thés noirs, verts et Oolong de bonne qualité, qui sont généralement mélangés pour obtenir une qualité standard chaque année. Certains de ces thés sont d'excellente qualité et partent à l'exportation.

Les thés verts destinés au marché intérieur représentent environ 80 % de la production annuelle. Une grande partie des thés noirs et

Séparation des feuilles avant la dessiccation.

des Oolong, destinée à l'exportation, se vend directement aux compagnies de thé plutôt que dans les ventes aux enchères.

Les thés de Chine « première récolte » *(first crop)* sont cueillis entre la mi-avril et la mi-mai. Cette récolte, réputée donner les meilleurs thés, représente environ 55 % de la production. La deuxième récolte a lieu au début de l'été, et parfois une troisième intervient à l'automne dans certaines régions.

Jardin de thé dans la province du Sichuan.

Les thés de Chine sont vendus non pas sous le nom de leur jardin d'origine, mais plutôt sous des appellations qui désignent la manufacture et la qualité. Chaque province donne un nom à chacun de ses thés, avec une orthographe et une prononciation particulières, de sorte que des noms qui paraissent complètement différents font souvent référence au même thé. Un autre problème vient du fait que, même en chinois, un thé peut avoir plus d'un seul nom – son nom principal, son nom historique et un nom qui donne une information géographique.

Ainsi, un thé commercialisé en Occident sous le nom de Chunmee (ou de Chun Mei) devient Zhenmei en pinyin, Janmei en cantonais, tout en étant aussi connu sous le nom de Eyebrow Tea à cause de l'aspect de la feuille traitée (en forme de sourcil). Le Pingshui Gunpowder, manufacturé à Pingshui, se dira en pinyin Pinshui Zhucha (qui veut dire thé perlé, par référence à ses très petites boulettes) et en cantonais Ping Shui Chue Cha.

En plus du nom, chaque thé commercialisé porte un numéro indiquant qu'il est conforme à des critères donnés et peut donc être acheté sans dégustation préalable. Les thés qui ne correspondent pas à un tel standard ne sont pas commercialisés.

Les exportations de thé de Chine prennent de l'essor grâce à l'intérêt croissant manifesté par les connaisseurs, qui ont récemment découvert l'existence d'une étonnante variété dans les catégories et dans les goûts, et qui en ont reconnu les qualités.

Les exportations sont passées de 151 000 t en 1989 à 225 000 t au début des années quatre-vingt-dix. En Chine, le thé vient au troisième rang des exportations, après la soie et les céréales. Les principaux clients sont le Maroc, les États-Unis, la Tunisie, la Pologne, Hong Kong, la Russie, les pays de la C.E.I. et le Royaume-Uni. Aux États-Unis, les ventes augmentent régulièrement, et les thés de Chine rares figurent maintenant sur les catalogues de vente par correspondance et dans les magasins spécialisés – qui ne proposent pas seulement des thés noirs et des Oolong, mais aussi des thés blancs parmi les plus rares comme le Yin Zhen, et des thés verts aux noms exotiques de Silver Dragon ou de Puits du Dragon, ainsi que plusieurs variétés de thé au jasmin et de thés compressés tels le Tuocha et le Pu-erh. Ce dernier est généralement apprécié pour ses vertus thérapeutiques : il soignerait, dit-on, la diarrhée, l'indigestion et les taux de cholestérol excessifs. Il s'agit d'un thé qui se vend sous diverses formes : nids d'oiseau, galets... (voir pages 160-161).

Triage du thé dans une manufacture à Anxi.

THÉS BLANCS DE CHINE

Pai Mu Tan Impérial (Baimudan, Pivoine blanche)

Ce thé blanc rare est composé de feuilles et de bourgeons très petits. Après le passage à la vapeur et le séchage, ils ont l'aspect de bottes miniatures de petites fleurs blanches et de minuscules feuilles.

Caractéristiques

Ce thé blanc venu de la province de Fujian donne une infusion limpide et pâle, à l'arôme frais, à la saveur moelleuse et veloutée.

Conseils de préparation

2 petites cuillerées par tasse d'eau à 85 °C.
Infusion, 7 min.

Conseils de dégustation

Se boit sans lait ni sucre, après les repas comme digestif ou en thé léger d'après-midi.

Yin Zhen (Yinfeng, Aiguilles d'argent)

Ce thé est composé de jeunes bourgeons tendres recouverts de duvet blanc argenté. Ce thé blanc est parfois vendu en tant que Silvery Tip Pekoe, China White ou Fujian White.

Caractéristiques

C'est le thé blanc par excellence. Les feuilles, qui ressemblent à des aiguilles d'argent, sont cueillies deux jours par an et traitées entièrement à la main. Très cher mais sublime.

Conseils de préparation

2 petites cuillères par tasse d'eau à 85 °C.
Laissez infuser 15 min.

Conseils de dégustation

Un thé pour toute la journée. Se boit nature, sans lait ni sucre, comme un digestif rafraîchissant.

THÉS VERTS DE CHINE

Chunmee (Chun Mei, Sourcils du vieux sage)

C'est la forme de la feuille qui donne son nom
au thé. Le traitement des thés en forme de
sourcil demande beaucoup de savoir-faire pour
rouler les feuilles correctement, à la bonne
température et pendant une durée correcte.

Caractéristiques

Longues feuilles fines couleur de jade qui
donnent une liqueur jaune, cristalline, au goût
moelleux. Très répandu chez les consommateurs
chinois depuis des années.

Conseils de préparation

2 petites cuillerées par
tasse d'eau à 70 °C.
Infusion,
3 à 4 min.

Conseils de dégustation

Se boit seul ou avec de la
menthe, toute la journée.
Très désaltérant.

Gunpowder (Zhucha, Poudre de canon)

La majeure partie du thé Gunpowder provient de
Pingshui, dans la province du Zhejian, et des régions
avoisinantes.

Caractéristiques

Liqueur forte, d'un vert cuivré, au goût
astringent.

Conseils de préparation

Mettez 2 bonnes petites cuillerées dans
une théière remplie d'eau à 70-80 °C.
Laissez infuser 3 min.

Conseils de dégustation

Se boit nature l'après-midi
ou le soir, ou bien en thé
glacé, servi sucré et
parfumé au citron, ou
encore en thé à la menthe.

Lung Ching (Longjing, Puits du dragon)

Ce célèbre thé est produit par la province du Zhejiang, dans un village du nom de «Puits du dragon». Ce thé obtint une médaille d'or en 1988 au Congrès international pour la qualité.

Caractéristiques

Thé célèbre pour ses feuilles vertes plates, sa couleur vert jade, son arôme délicieux et son goût moelleux. Donne une liqueur jaune clair à l'arrière-goût légèrement sucré.

Conseils de préparation

2 petites cuillerées par tasse d'eau à 70 °C. Laissez infuser 3 min.

> **Conseils de dégustation**
>
> ☀ 🌿
>
> Se boit nature, pour se désaltérer la journée, ou en digestif après le repas.

Pi Lo Chun (Biluochun, Spirale de jade du printemps)

Ce thé rare est célèbre pour son aspect d'escargot. Entourés de pêchers, de pruniers et d'abricotiers, les théiers s'imprègnent de la fragrance de leurs fleurs. On ne cueille qu'une feuille avec le bourgeon.

Caractéristiques

Les feuilles et les bourgeons, roulés à la main, forment des spirales évoquant l'escargot, recouvertes de duvet argenté. La liqueur jaune-vert a une saveur fraîche, légèrement sucrée.

Conseils de préparation

2 petites cuillerées par tasse d'eau à 70 °C. Infusion, 3 à 4 min.

> **Conseils de dégustation**
>
> ✤
>
> Se boit nature. À réserver pour de grandes occasions, à cause de son prix élevé et de sa grande qualité.

Xinyang Maojian

Le temps brumeux qui sévit dans les montagnes de Xinyang, dans la province du Henan, donne un thé à l'arôme frais et raffiné et à l'arrière-goût subtil.

Caractéristiques
Fines et longues feuilles qui donnent une infusion vert orangé, à l'arôme frais et au goût moelleux.

Conseils de préparation
2 petites cuillerées par tasse d'eau à 70 °C. Infusion, 3 min.

Conseils de dégustation

Ce thé vert se boit sans lait ni sucre.

Taiping Houkui (Tai Ping Hau Fui)

C'est le meilleur des thés verts de la province de l'Anhui. Les feuilles s'imprègnent de la senteur exhalée par les millions d'orchidées qui poussent à l'état sauvage au moment où s'ouvrent les jeunes feuilles. Ce thé remporta une médaille d'or en 1915 à la Foire internationale du Pacifique à Panamá.

Caractéristiques
Les feuilles vert foncé, droites et pointues, s'ouvrent dans l'eau chaude en révélant leurs nervures roses et donnent un goût d'orchidée.

Conseils de préparation
2 petites cuillerées par tasse d'eau à 70 °C. Laissez infuser 3 min.

Conseils de dégustation

Un thé léger et subtil. Se boit sans lait ni sucre.

Autres thés verts de Chine à recommander

Dong Yang Dong Bai, Guangdong, Guo Gu Nao, Huang Shan Mao Feng, Hu Bei, Hunan Green, Hyson, Pai Hou, Son Yang Ying Hao et White Downy.

OOLONG DE CHINE

Fonghwang Tan-chung
(Fenghuang Dancong, Fenghuang Select)

Les feuilles de ce thé, qui viennent de grands arbres
à tronc érigé, se cueillent à l'aide d'une échelle. Les
locaux préparent ce thé très fort dans de minuscules
théières. Ils font tremper les feuilles 1 minute pour
la première infusion, 3 minutes pour la deuxième
et 5 minutes pour la troisième.

Caractéristiques
Les feuilles dorées deviennent vertes au contact
de l'eau, ourlées de brun rougeâtre. La liqueur
est d'un brun orangé pâle. La première infusion
peut être amère. La seconde est plus moelleuse.

Conseils de préparation
1 petite cuillerée par tasse d'eau à 95 °C.
Laissez infuser de 5 à 7 min.

Conseils
de dégustation

☾

Un thé excellent et raffiné.
Se boit en soirée.

Shui Hsien (Shuixian, Fée des eaux)

Ce théier est un grand arbre à un seul tronc. Les
feuilles sont grandes, d'un vert brillant et foncé ;
les gros bourgeons d'un vert jaunâtre sont couverts
de duvet. Dans la province du Fujian, on les utilise
indifféremment pour faire des thés noirs ou blancs.

Caractéristiques
Feuilles torsadées donnant une liqueur limpide,
brun orangé, à la saveur légèrement épicée.

Conseils de préparation
1 petite cuillerée par tasse d'eau à 95 °C.
Laissez infuser 5 à 7 min.

Conseils
de dégustation

☕ ☀

Se boit sans lait ni sucre,
le matin ou à toute heure
de la journée.

Ti Kuan Yin
(Tieguanyin, Déesse en fer de la miséricorde)

Ce thé très spécial provient aussi de la province du Fujian. La déesse de la miséricorde serait apparue en rêve à un paysan de la région et lui aurait dit de regarder dans la grotte derrière son temple. Il y trouva une unique pousse de thé qu'il planta et cultiva. C'est l'un des thés les plus prisés de Chine.

Caractéristiques
Grosses feuilles gaufrées se déroulant dans l'eau et devenant brun-vert à bords dentelés. Vert brunâtre, l'infusion a un goût aromatique léger.

Conseils de préparation
Mettez 1 petite cuillerée de thé dans une théière et versez de l'eau à 95 °C. Videz aussitôt l'eau et laissez respirer les feuilles pendant quelques instants. Remplissez à nouveau la théière et laissez infuser 3 à 5 min. Les feuilles serviront à faire plusieurs infusions.

Conseils de dégustation

✵

Un thé particulier pour les grandes occasions. Se boit sans lait ni sucre.

Pouchong (Pao Zhong, Baozhong)

Le nom de ce thé un peu fermenté vient de ce que les feuilles étaient initialement enveloppées dans du papier durant la fermentation. Originaire du Fujian, la méthode de sa fabrication fut exportée à Taiwan.

Caractéristiques
Longues feuilles noires qui donnent une infusion ambrée, très légère, à la saveur moelleuse.

Conseils de préparation
1 petite cuillerée par tasse d'eau à 95 °C. Laissez infusez 5 à 7 min.

Conseils de dégustation

🫖 🌙

Se boit sans lait l'après-midi ou le soir.

Autres Oolong de Chine à recommander
China Fujian Dark Oolong, Dahongpao, Oolong Sechung et Wuyi Liu Hsiang (Liuxiang).

THÉS NOIRS DE CHINE

Dégustateur de thé, Keemun.

Jardin de thé de Keemun.

Keemun

En 1915, le Keemun gagna une médaille d'or à la Foire internationale de Panamá. Cultivé dans la province de l'Anhui, il est fabriqué avec une adresse méthodique *(gongfu)*, pour obtenir de fines lanières de feuilles sans les briser.

Caractéristiques

Feuilles noires donnant une liqueur riche, brune, à la saveur un peu parfumée et à l'arôme délicat.

Conseils de préparation

1 petite cuillerée par tasse d'eau à 95 °C.
Laissez infuser 5 à 7 min.

Conseils de dégustation

Excellent avec des mets peu épicés et en digestif. Se boit sans lait ni sucre. Un thé parfait pour le soir.

Keemun Mao Feng

Mao Feng signifie «pointe de cheveu», car les feuilles sont roulées à la main de manière plus fine encore que pour le Keemun standard.

Caractéristiques
Le plus rare des thés Keemun. Belles feuilles, liqueur au goût délicat et très raffiné.

Conseils de préparation
Comptez 1 petite cuillerée de thé par tasse d'eau à 95 °C et laissez infuser de 5 à 7 min.

Conseils de dégustation
Un thé du soir ou de l'après-midi.

Lapsang Souchong (Zhengshan Xiaozhong)

Les thés fumés sont une spécialité de la province du Fujian. Les feuilles, fumées au-dessus d'un foyer d'épicéa, sont séchées à la poêle, roulées, compressées dans des tonneaux et recouvertes de tissu. Après fermentation, elles sont séchées et roulées.

Caractéristiques
Ces bandes de feuilles noires donnent une riche liqueur rouge. Arôme et goût fumés particuliers.

Conseils de préparation
1 petite cuillerée par tasse d'eau à 95 °C. Laissez infuser 5 à 7 min.

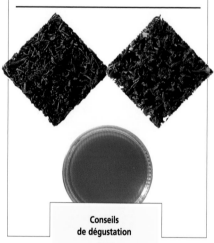

Conseils de dégustation
Se boit nature ou avec un nuage de lait. Parfait pour les petits déjeuners salés et le poisson.

Autres thés de Chine fumés à recommander

Tarry Souchong et Yo Pao.

Jiuqu Wulong (Black Dragon, Dragon noir)

Il s'agit d'un thé noir fermenté *gonfu*, mais parfois on le considère à tort comme un Oolong.

Caractéristiques
Feuilles finement torsadées qui donnent une liqueur d'un rouge cuivré au goût moelleux, subtil et désaltérant.

Conseils de préparation
1 petite cuillerée par tasse d'eau à 95 °C. Laissez infuser 5 à 7 min.

Conseils de dégustation

Se boit sans lait, l'après-midi ou en soirée.

Szechwan Impérial

Certains thés noirs de Chine, comme celui-ci, sont commercialisés sous le nom de la province dont ils sont issus. Parmi eux on trouve le Guangdong Black, le Hainan Black, le Hunan Black et le Fujian Black.

Caractéristiques
Fines feuilles à pointes dorées donnant une liqueur très colorée, à l'arôme discret et à la saveur parfumée, moelleuse, presque sucrée.

Conseils de préparation
1 petite cuillerée par tasse d'eau à 95 °C. Laissez infuser 5 à 7 min.

Conseils de dégustation

Un thé d'après-midi, qui se boit sans lait.

Yunnan (Dianhong)

Le Yunnan, province productrice de thé depuis plus de dix-sept siècles, aurait vu naître le thé. Les théiers qui servent à faire les thés noirs Yunnan donnent de gros bourgeons et des feuilles épaisses et souples.

Caractéristiques

Feuilles noires qui donnent une liqueur vive, légèrement poivrée, à l'arôme prononcé.

Conseils de préparation

1 petite cuillerée par tasse d'eau à 95 °C. Infusion, 5 à 7 min.

Conseils de dégustation

Supporte un peu de lait ; se boit bien au petit déjeuner et l'après-midi.

Autres thés noirs de Chine à recommander

Ching Wo, Ning Chow et Panyong.

THÉS DE CHINE COMPRESSÉS

Tuan Cha (Nattes de thé)

Ces boules de thé sont de différentes tailles, la plus petite ayant celle d'une balle de tennis de table.

Caractéristiques

La saveur et l'arôme évoquent la terre.

Conseils de préparation

5 tasses d'eau par boule de thé. Infusion dans eau frémissante, 5 min.

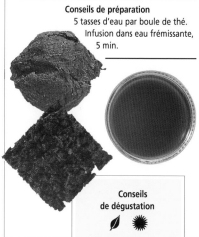

Conseils de dégustation

Se boit sans lait, en digestif ou à n'importe quel moment de la journée.

Natte de thé.

Tuo Cha

Originaire de la province du Yunnan, c'est un thé compressé modelé en nid d'oiseau à l'aide d'un bol.

Caractéristiques
Ressemble à un nid d'oiseau. Sa liqueur a le même goût de terre que les autres thés Pu-erh.

Conseils de préparation
1 petite cuillerée par tasse. Infusion, 5 min dans l'eau frémissante. Versez à l'aide d'une passoire.

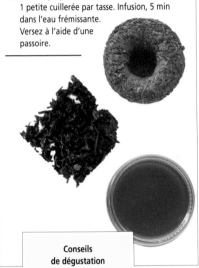

Conseils de dégustation

Se boit sans lait, en digestif ou à toute heure de la journée ou de la soirée.

Dschuan Cha (Brique de thé)

Ce thé, plus décoratif que bon à faire infuser, est fabriqué en compressant de la poudre de thé noir.

Caractéristiques
Ce thé n'a pas de qualités spécifiques. On le boit plus par curiosité que pour son goût.

Conseils de préparation
Faites infuser 1 petite cuillerée par tasse dans de l'eau frémissante 3 à 4 min. Versez dans les tasses à l'aide d'une passoire.

Conseils de dégustation

Se boit toute la journée. avec ou sans lait.

Brique de thé.

INDONÉSIE

Des thés légers à la saveur agréable.

S ITUÉE au sud de la mer de Chine, l'Indonésie est un archipel qui s'étend de la Malaisie à la Papouasie-Nouvelle-Guinée. C'est dans les deux plus grandes îles, Java et Sumatra, que se trouvent les principales plantations de thé. Au début du XVIIᵉ siècle, les Hollandais menaient leur commerce avec la Chine depuis Java ; la Compagnie hollandaise des Indes orientales établit les premières plantations sur l'île au début du XVIIIᵉ siècle. À l'origine, on utilisa des graines chinoises qui ne réussirent pas à prospérer ; ensuite, les Hollandais plantèrent des théiers d'Assam.

SUMATRA

MALAISIE

BORNÉO

Padang

MER DE JAVA

OCÉAN INDIEN

DJAKARTA

Surabaya

Bandung

JAVA

AUSTRALIE

Cueillette du thé à Java, en Indonésie.

Plus tard, le thé fut introduit à Sumatra, et ces dernières années la production a démarré sur l'île de Sulawesi. Avant la Seconde Guerre mondiale, les thés noirs d'Indonésie, avec ceux d'Inde et de Ceylan, dominaient le marché européen et en particulier britannique. Mais la guerre laissa l'industrie de l'île exsangue, et la production de thé resta minime jusqu'en 1984, date de mise en œuvre du programme de réhabilitation. Le Tea Board (Office du thé) d'Indonésie contribua à la restructuration de l'industrie, à la rénovation des fabriques et à la remise en état des plantations avec des plants de qualité supérieure multipliés par clonage. La production augmenta grâce à cette amélioration.

Par le passé, on ne produisait que des thés noirs orthodoxes, mais la demande pour le thé en sachets a incité les producteurs à adopter le procédé CTC. On compte désormais 16 fabriques produisant plus de 16 500 t de thé par an. La production de thé vert a débuté en 1988, et on s'attend qu'elle augmente ces prochaines années en raison de l'immense crédit dont jouit le thé vert, reconnu pour ses propriétés diététiques et médicinales. Actuellement, le thé vert est souvent mélangé aux fleurs de jasmin et traité comme du thé au jasmin, principalement pour le marché intérieur. Il se consomme tout prêt en canettes ou en bouteilles.

Les plantations occupent une superficie de 13 000 ha à Java, et de 60 000 ha à Sumatra et sur les autres îles. Les meilleurs thés sont récoltés en juillet, août et septembre. La production se partage entre le thé vert (60 %) et le thé noir (40 %). La majeure partie des thés noirs est commercialisée à l'exportation dans les ventes aux enchères hebdomadaires de Djakarta. Les clients sont le Royaume-Uni, les États-Unis, les Pays-Bas, l'Australie, le Moyen-Orient, l'Allemagne, le Pakistan, Singapour et le Japon ; la Russie, les autres pays de la C.E.I. et la Pologne commencent juste à acheter. Ces dix dernières années, la quantité de thé vendue à l'exportation a augmenté de façon régulière. L'Indonésie exportait 93 000 t de thé en 1984, et 132 000 en 1992 (12 % du total des exportations mondiales).

Les thés d'Indonésie sont des thés légers, au goût agréable. Ils entrent pour la plupart dans la composition des mélanges destinés à remplir des sachets en papier, mais un ou deux jardins commercialisent maintenant leurs propres crus.

Gunung Rosa

Caractéristiques
Thé à larges feuilles qui donne une infusion brillante, légère, excellente, légèrement suave, évoquant certains thés de Ceylan *high-grown*.

Conseils de préparation
1 petite cuillerée par tasse d'eau à 95 °C. Infusion, 3 à 4 min.

Conseils de dégustation

Se boit avec ou sans lait, ou peut-être avec du citron. Excellent à l'heure du thé.

Taloon

Caractéristiques

Magnifique thé de Java à feuilles entières avec beaucoup de pointes dorées, qui donne une infusion aromatique au goût riche.

Conseils de préparation

1 petite cuillerée par tasse d'eau à 95 °C. Laissez infuser 3 à 4 min.

Conseils de dégustation

Un bon thé de 5 heures, qui se marie bien avec les gâteaux l'après-midi.

Bah Butong

Caractéristiques

Thé à feuilles brisées originaire de Sumatra qui donne une infusion pleine, forte et colorée.

Conseils de préparation

1 petite cuillerée par tasse d'eau à 95 °C. Laissez infuser 3 à 4 min.

Conseils de dégustation

Un thé de petit déjeuner qui se boit avec du lait.

J A P O N

Un paysage ondoyant, parcouru de jardins produisant exclusivement du thé vert.

S ELON L'HISTOIRE JAPONAISE, les premières graines de théier importées de Chine par le moine bouddhiste Dengyo Daishi auraient été plantées en l'an 805. On dit aussi que certaines graines furent envoyées à l'abbé de Togano-o à Yamashiro, et que certains des plants provenant de ces graines furent transplantés à Uji, où le sol est particulièrement bon. Le thé d'Uji est encore considéré comme le plus fin du pays. À la même époque ou à peu près, cinq grandes plantations furent créées (à Asahi, Kambayashi, Kyogoku, Yamana et Umoji) qui existent encore aujourd'hui.

HONSHU

SAITAMA

CORÉE DU SUD

AICHI

TOKYO

KYOTO

mont Fuji

MIE

SHIZUOKA

NARA

FUKUOKA
SAGA

SHIKOKU

KAGOSHIMA

KYUSHU

OCÉAN PACIFIQUE

Cueillette mécanique dans un champ de thé japonais.

Les jardins de thé japonais ne ressemblent pas aux plantations des autres pays. Cultivés côte à côte en longues bandes, les arbustes font penser à des vagues vertes ondoyant dans tout le paysage. Le dessus de ces vagues est incurvé, et c'est sur ces tables de cueillette que le cueilleur prend feuilles et bourgeons.

Après la Seconde Guerre mondiale, la culture du thé se développa, les principales régions productrices étant maintenant les préfectures de Shizuoka, Kagoshima, Mie, Nara, Kyoto (autour d'Uji), Saga, Fukuoka et Saitama. Nishio, dans la préfecture d'Aichi, est célèbre pour son thé en poudre.

Le climat est chaud, les pluies sont abondantes. Les plantations sont situées dans les montagnes et près des rivières, des fleuves et des lacs, là où la chaleur s'allie à des brouillards denses et à des rosées copieuses. Quelque 600 000 familles rurales produisent 110 000 t de thé pour une superficie de 60 000 ha. La récolte commence à la fin avril. Les feuilles, cueillies à la main ou avec des ciseaux automatiques ressemblant à une tondeuse à cheveux, sont acheminées dans les fabriques, où elles sont soumises à divers traitements selon le type de thé. Tous les thés japonais sont verts.

LES VARIÉTÉS DE THÉS VERTS

Le Gyokuro est le meilleur des thés japonais. Pour obtenir du Gyokuro, il faut que les théiers soient ombragés à 90 % pendant une vingtaine de jours à partir de début mai. Dès la formation des nouveaux bourgeons, la plantation est recouverte de nattes de bambou ou d'ombrières. Dans cette luminosité amoindrie, les minuscules feuilles sécrètent plus de chlorophylle et moins de tanin. Lorsque la récolte commence, seules les feuilles les plus tendres sont soigneusement cueillies à la main ou avec des ciseaux automatiques. Les feuilles sont rapidement transportées à la fabrique et sont passées à la vapeur pendant environ trente secondes, ce qui fixe le goût et stoppe la fermentation. Puis elles sont soumises à une projection d'air chaud, compressées et séchées jusqu'à ce qu'elles ne renferment plus que 30 % d'eau. Un roulage répété donne aux feuilles la forme de fines aiguilles vert foncé. Elles sont ensuite triées (élimination des tiges et des vieilles feuilles) et séchées à nouveau.

Pour obtenir du Tencha, un thé finement haché qui est moulu pour faire du Matcha (la poudre de thé), les arbustes sont aussi ombragés. Les feuilles, plus grandes que celles utilisées pour le Gyokuro, sont cueillies, passées à la vapeur et ventilées à l'air chaud. Elles sont séchées sans être roulées, puis coupées en très petits morceaux. La poudre de thé vert se conserve très peu de temps (quatre semaines en hiver, deux en été). Les feuilles sont stockées en tant que Tencha, qui lui se conserve bien, jusqu'à ce qu'on ait besoin de Matcha, ce thé qui se boit lors de la traditionnelle cérémonie du thé japonaise : le Tencha finement haché est réduit en une fine poudre à l'aide d'un moulin de pierre. Le Gyokuro et le Tencha ne sont récoltés qu'une fois par an, car l'ombre retire aux arbustes leur énergie et il leur faut du temps pour récupérer.

Le Sencha est le thé le plus répandu au Japon. Il en existe de nombreuses variétés – les meilleures ne sont servies que dans les grandes occasions, les plus ordinaires sont consommées tous les jours, à la maison et au travail. Les théiers sont cultivés en plein soleil, et la première récolte a lieu de la fin

Les théiers sont ombragés afin que se développe l'agréable saveur des feuilles.

avril à la mi-mai. La majeure partie de la cueillette s'effectue au moyen de ciseaux mécaniques ou de machines spéciales, mais le Sencha de qualité supérieure est cueilli à la main. Dans certains endroits, les feuilles sont cueillies tous les quarante-cinq jours, quatre fois par an ; la première et la deuxième récolte donnent les meilleures feuilles. La liqueur fournie par la première récolte est douce et suave, alors que celle de la seconde a un goût plus prononcé. Les feuilles sont soumises au même traitement que pour la fabrication du Gyokuro et du Tencha. Elles

sont chauffées à la vapeur puis à l'air, séchées et enfin roulées en fines aiguilles.

Le Bancha est un Sencha de basse qualité. Une fois que la cueillette des feuilles plus tendres pour le Sencha est terminée, les feuilles plus grandes et plus épaisses sont ramassées. Le traitement est identique à celui du Sencha, mais on garde aussi les tiges. Lorsque le Bancha est grillé, il prend le nom de Hojicha. Cette étape intervient après le passage à la vapeur, le flétrissage à l'air chaud, le séchage et le roulage ; la feuille prend alors la forme d'un coin. Le

Genmaicha est un mélange de Bancha et de riz grillé qui a été bouilli puis séché.

Deux autres thés verts, plus rares, sont également manufacturés au Japon. Le Kanmairicha-Tamayokucha se fabrique selon la vieille méthode chinoise, qui consiste à faire griller les feuilles dans un plat pour stopper l'oxydation, puis à les sécher et à les rouler à la main pour former de petites boulettes. Le Mecha est fait avec de jeunes feuilles sélectionnées lors du raffinage du Gyokuro et du Sencha, roulées en petites boules de la taille d'une tête d'épingle, qui donnent une liqueur corsée à l'infusion.

Gyokuro (Rosée précieuse)

C'est le meilleur thé du Japon, et toujours celui que l'on sert aux visiteurs. La température de l'eau et la durée d'infusion varient selon la qualité – elles doivent être modifiées en conséquence.

Caractéristiques
Le plus raffiné des thés japonais. Ses feuilles plates et pointues, d'une couleur vert émeraude, donnent une infusion douce, au parfum subtil.

Conseils de préparation
Pour 3 personnes :
4 cuillerées pour
4 cuillerées à soupe
d'eau à 50-60 °C,
préalablement
bouillie. Laissez
infuser 1 min 30 à
2 min et ajoutez de
l'eau pour faire
d'autres infusions.

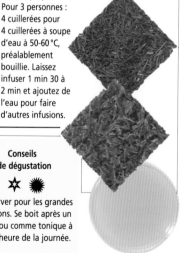

Conseils de dégustation
✦ ✹

À réserver pour les grandes occasions. Se boit après un repas, ou comme tonique à toute heure de la journée.

Matcha Uji (Mousse de jade liquide)

Le fait de fouetter cette poudre avec de l'eau chaude facilite la dissolution du thé et donne une mousse supposée en renforcer le goût.

Caractéristiques
Le Matcha de qualité supérieure vient de la région d'Uji. La poudre de thé donne une liqueur vert jade riche et astringente.

Conseils de préparation
Mettez ½ cuillerée de poudre dans un bol, ajoutez 8 petites cuillerées d'eau à 85 °C préalablement bouillie. Battez pendant 30 s avec un fouet en bambou.

Conseils de dégustation
✹

C'est une boisson riche qui se consomme toute la journée.

Sencha

On trouve du Sencha de plusieurs qualités et à différents prix. Au Japon, ce Sencha de qualité moyenne se consomme partout et à toute heure.

Caractéristiques

Sencha à grandes feuilles. Une liqueur limpide et brillante au goût délicat, typiquement japonais. Riche en vitamine C.

Conseils de préparation

Pour 5 personnes : 4 petites cuillerées pour 1 ¾ tasse d'eau à 90 °C préalablement bouillie. Infusion, 1 min à 1 min 30. Ébouillantez les tasses avant de servir.

Conseils de dégustation

Se boit pendant les repas ou en digestif.

Autres thés recommandés

Sencha Honyama, Sencha Sayama et Sencha Yame.

Bancha

Le Bancha est fait avec de grandes feuilles coriaces ainsi qu'avec les tiges. Par son goût plus atténué, il convient aux enfants et aux malades.

Caractéristiques

Les feuilles plus coriaces, contenant moins de théine et de tanin, donnent une infusion faible.

Conseils de préparation

Pour 5 personnes, 6 petites cuillerées pour 3 tasses d'eau à 95 °C. Laissez infuser 30 s.

Conseils de dégustation

Se boit pendant les repas ou pour se désaltérer.

Hojicha

Le Hojicha fut inventé en 1920 par un marchand de Kyoto qui ne savait que faire d'un surplus de vieilles feuilles. Il eut l'idée de les faire griller et créa ainsi un thé au goût nouveau.

Caractéristiques

Les feuilles grillées donnent une liqueur brun clair. Très agréable à l'estomac.

Conseils de préparation

Pour 5 personnes : 6 petites cuillerées pour 3 tasses d'eau chaude à 95 °C. Infusion, 30 s.

Conseils de dégustation

Idéal pour accompagner les repas ou le soir.

Genmaicha

Des grains de riz grillé et de maïs soufflé donnent un goût intéressant au Bancha.

Caractéristiques

Thé de qualité moyenne qui donne une infusion brun clair, au goût légèrement salé.

Conseils de préparation

Pour 1 personne : 2 petites cuillerées par tasse d'eau à 95 °C. Laissez infuser 1 min.

Conseils de dégustation

Un thé qui accompagne bien les mets légers.

Autres thés japonais recommandés

Fuji Yama, Kukicha, Ureshinocha et Kawanecha.

T A I W A N

Pays d'origine du Tung Ting, le meilleur des thés de Formose.

L ES PREMIERS THÉIERS, originaires de la province chinoise du Fujian, furent plantés à Formose (son nom d'alors) il y a deux siècles, dans le nord du pays. Les plantations sont à moins de 300 m d'altitude, là où les températures ne descendent jamais au-dessous de 12 °C et ne montent jamais au-dessus de 27 °C. La récolte a lieu cinq fois par an d'avril à décembre, et la meilleure feuille se cueille entre la fin mai et la mi-août.

Presque tous les thés de Formose sont des Oolong, avec occasionnellement des Pouchong légèrement fermentés. La plupart de ces thés servent à fabriquer du thé au jasmin et d'autres thés parfumés.

Par le passé, le Japon était le plus gros acheteur de thé de Formose, mais ces dernières années le Maroc et les États-Unis en ont importé de plus grandes quantités.

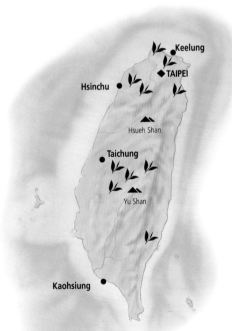

Formose Gunpowder

Caractéristiques

Petites billes de thé vert qui donnent une infusion limpide, délicieusement rafraîchissante.

Conseils de préparation

2 petites cuillerées par tasse d'eau à 95 °C. Laissez infuser pendant 3 min.

Conseils de dégustation

Nature ou parfumé à la menthe. Merveilleux thé d'après-midi.

Formose Grand Pouchong

Caractéristiques

Très légèrement fermenté, presque du thé vert. C'est un concurrent du Tung Ting, le thé le plus renommé de Taiwan. Donne une infusion jaune d'or à l'arôme délicat.

Conseils de préparation

1 petite cuillerée par tasse d'eau à 95 °C. Infusion, 4 à 5 min.

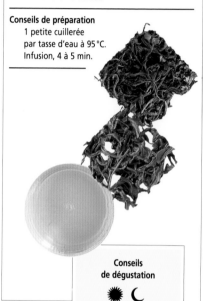

Conseils de dégustation

Thé de la journée ou du soir.

Formose Grand Oolong (Great Black Dragon)

Caractéristiques

Pour ce thé exceptionnel, les feuilles à pointes blanches sont cueillies au printemps.
Magnifiques feuilles entières, qui donnent une liqueur à la saveur délicate et à l'arôme exquis.

Conseils de préparation

1 petite cuillerée par tasse d'eau à 95 °C.
Infusion, 7 min.

Conseils de dégustation

À réserver pour les grandes occasions. Se boit sans lait.

Tung Ting

Caractéristiques

Considéré comme le meilleur thé de Taiwan.
C'est un Pouchong légèrement fermenté, qui donne une liqueur vert orangé au goût moelleux.

Conseils de préparation

1 petite cuillerée par tasse d'eau à 95 °C.
Infusion, 7 min.

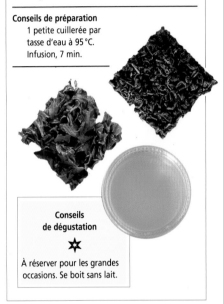

Conseils de dégustation

✵

À réserver pour les grandes occasions. Se boit sans lait.

Autres thés de Formose recommandés

Grand Pouchong Imperial, Oolong Imperial et Ti Kuan Yin.

Les Autres Pays

Producteurs

AMÉRIQUE DU SUD

ARGENTINE

L'Argentine produit 95 % de son thé dans la province de Misiones et les 5 % restants dans celle de Corrientes. On utilise aujourd'hui des méthodes de cueillette mécanisées, qui ont amélioré la productivité de 2 000 %! Les thés argentins donnent une liqueur sombre au goût de terre, avec plus ou moins de corps. La plupart sont exportés en Chine et aux États-Unis, pour les mélanges ou pour la fabrication de thé soluble.

Jardin recommandé

Misiones.

Récolte mécanisée en Argentine.

BRÉSIL

Le Brésil produit du thé noir orthodoxe dans une région, située au sud de São Paulo. La majeure partie est utilisée dans les mélanges pour les sachets destinés au Royaume-Uni et au marché intérieur. Ces thés donnent une liqueur limpide et brillante, au goût fade.

Jardin recommandé
São Paulo.

ÉQUATEUR

Ce pays cultive du thé depuis la fin des années soixante et exporte la majeure partie de sa production de thé noir aux États-Unis (pour les mélanges). Ses thés donnent des liqueurs fortes à la saveur agréable, avec parfois une légère note de terre.

PÉROU

Le thé est cultivé dans les départements de Cuzco et de Huanuco. La production atteint environ 1 800 t par an – le projet d'en consacrer 500 à l'élaboration de thé instantané, afin de satisfaire la demande sur le marché intérieur, a dû être momentanément abandonné en raison de problèmes d'ordre économique.

AFRIQUE

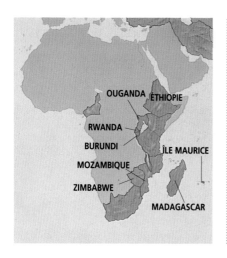

OUGANDA ÉTHIOPIE
RWANDA
BURUNDI
ÎLE MAURICE
MOZAMBIQUE
ZIMBABWE
MADAGASCAR

BURUNDI

Le Burundi s'est lancé dans la production de thé à l'échelle industrielle au début des années soixante-dix. En 1994, il a produit 7 500 t pour une superficie de 9 000 ha. Il existe cinq manufactures de thé, dont quatre sont installées à plus de 1 800 m d'altitude. Comme le Rwanda, ce pays a souffert ces dernières années de la guerre civile et de l'instabilité politique. La production et la qualité du thé en ont été affectées. Cette région au relief montagneux et au climat tropical jouit pourtant d'un grand potentiel pour produire des thés d'excellente qualité, d'une variété identique à ceux du Rwanda.

Jardin recommandé
Teza-Ijenda.

Cueillette du thé au Burundi.

ÉTHIOPIE

L'Éthiopie possède deux manufactures de thé au sud du pays, sur un plateau proche de la

La plantation de Gumaro s'étend sur 850 ha.

frontière avec le Kenya. Les théiers, situés à plus de 1 700 m d'altitude, occupent une superficie de 2 000 ha et produisent des thés similaires à ceux du Kenya. Maintenant que le pays jouit d'une certaine stabilité politique, l'industrie du thé peut se consacrer à améliorer la qualité et à augmenter la production.

MADAGASCAR

Les théiers de l'île, obtenus après multiplication des plants par clonage, sont cultivés à 1 700 m d'altitude. Les feuilles noires donnent une infusion brillante et colorée d'une qualité intéressante, équivalant à celle des meilleurs thés d'Afrique de l'Est. La production est saisonnière : de mai à septembre, par temps sec dominant, la récolte est peu abondante.

Jardin recommandé
Sahambavy.

ÎLE MAURICE

Le thé – la boisson – fut introduit dans l'île Maurice par le Français Pierre Poivre en 1770. L'île produit aujourd'hui des thés très acceptables, qui donnent une liqueur colorée, forte et pleine, mais pas de très bonne qualité. En raison d'une chute des cours mondiaux, le pays commence à s'intéresser à la culture du sucre et des textiles, à tel point que la production de thé pourrait disparaître en 2001.

MOZAMBIQUE

Les Portugais plantèrent du thé dans la province du Zambèze, mais, à cause des troubles politiques des années soixante-dix, la production s'est mise à décliner. Les thés noirs forts ont un goût légèrement épicé. Additionnés de lait, ils conviennent particulièrement bien aux petits déjeuners.

RWANDA

L'industrie du thé fit son apparition au Rwanda dans les années cinquante, avec l'aide financière de la Belgique et de la C.E.E. Un sol fertile, une pluviosité adaptée et un climat très favorable contribuèrent à faire prospérer cette culture, effectuée dans le souci d'obtenir une qualité constante équivalant à celle des meilleurs thés CTC d'Afrique. Cependant, depuis 1990, les problèmes politiques ont profondément bouleversé la production.

La plus grande fabrique, établie à Mulindi, fut occupée par les envahisseurs tutsis, et en 1994 toutes les fabriques cessèrent leurs activités. Contre toute attente, la plantation de Cyohoha Rukeri se remit à produire après que les arbres endommagés eurent été taillés. La fabrique redémarra en février 1995. En 1995, la production dépassa 2 200 t, et l'on retrouva les niveaux de qualité qui avaient cours avant la guerre. Moyennant la restauration des manufactures et la remise en état des plantations, on peut s'attendre à un retour à la normale si la situation politique reste stable.

Jardins recommandés

Kitabi et Matah.

OUGANDA

En Ouganda, la culture du thé débuta en 1909, mais il fallut attendre la fin des années vingt pour parler de développement industriel, lorsque les anciens soldats de la Première Guerre mondiale établirent des plantations privées. La fin des années cinquante vit la production s'accroître rapidement dans les plantations, dont les propriétaires étaient presque tous des Blancs. Avant 1972, les grandes plantations privées et les petites exploitations se développèrent sur près de 20 000 ha, et le thé fut le meilleur produit d'exportation du pays. L'instabilité politique des années soixante-dix et quatre-vingt affecta sérieusement cette industrie – les exportations ont chuté de 26 500 t en 1972 à 1 100 t en 1980.

Les plantations furent endommagées ou abandonnées, les fabriques tournèrent au ralenti ou fermèrent leurs portes par manque d'électricité ou de main-d'œuvre. Depuis 1989, le calme politique retrouvé a permis de remettre en état fabriques et plantations, et la production est à nouveau sur la pente ascendante (elle est passée de 5 t en 1989 à 16 t en 1994). Des problèmes subsistent néanmoins. Les taux de change ont fait obstacle au développement de l'industrie ougandaise, le coût des transports est élevé, la main-d'œuvre (qualifiée et non qualifiée) manque, l'alimentation en énergie est peu fiable, les fabriques sont anciennes et ont besoin d'être rénovées, et depuis 1988 les activités de recherche ne sont plus financées.

Dans cette plantation de thé en Ouganda, on pratique une récolte mécanisée.

Ces dernières années, les thés ougandais ont vu leurs cours baisser aux enchères de Londres et de Mombasa, à cause d'un manque de suivi dans la qualité. L'augmentation et l'amélioration de la production ont fait remonter les prix. On espère qu'en 1998 la production équivaudra à celle de 1972, et qu'elle doublera d'ici à l'an 2000.

Jardin recommandé

Mityana.

ZIMBABWE

Le Zimbabwe abrite deux grandes régions productrices de thé. Les thés zimbabwéens donnent une liqueur forte de couleur sombre. La plupart sont exportés au Royaume-Uni et entrent dans le contenu des sachets. Actuellement, le pays se met à produire du thé *clonal* (qui se boit avec du lait).

Jardin recommandé

Southbown.

EUROPE

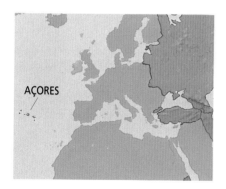

AÇORES

AÇORES

Le thé est cultivé dans l'île volcanique de São Miguel, une des principales de l'archipel. En provenance du Brésil, il fut introduit dans l'île vers 1820, et dès la première moitié du XXᵉ siècle il y eut 300 ha de terres dévolus à la culture du thé. Cependant, en 1966, la superficie occupée par les théiers diminua de moitié et la qualité du thé devint médiocre.

En 1984, un expert mandaté par le gouvernement des Açores a mis en place un programme de remise en état des anciennes plantations, de mécanisation de la taille et de la cueillette, d'amélioration des méthodes de culture et de la qualité en général. Cette opération est menée à petite échelle et le thé ainsi produit est vendu aux touristes.

En 1995, le gouvernement, en octroyant des fonds pour la culture et la manufacture du thé, a misé sur une augmentation de la production et de la qualité, avec l'intention de satisfaire la demande sur le marché intérieur mais aussi d'exporter vers les États-Unis et d'autres pays.

ASIE

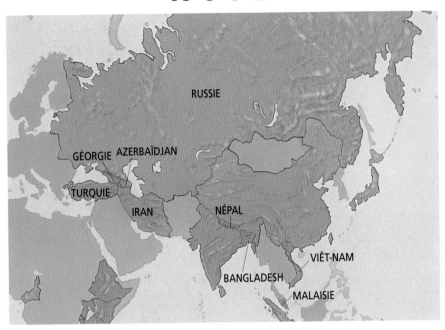

BANGLADESH

Après l'introduction du thé en Assam par les Britanniques vers 1830, sa culture s'étendit rapidement aux régions qui faisaient alors partie du nord de l'Inde. Après la partition de 1947, puis la création du Bangladesh, les régions de Sylhet et de Chittagong continuèrent à produire une importante quantité de thé. La récolte se fait d'avril à décembre, les meilleurs thés sont cueillis en mai et juin. Le thé noir représente la majeure partie de la production. Les thés à feuilles entières sont emballés dans les manufactures, alors que la plupart des thés à feuilles brisées, des Dust et des Fannings servent aux mélanges. Le thé vert est produit en plus petite quantité. La production annuelle est de 56 000 t environ, dont 36 000 partent à l'exportation. Les plus gros acheteurs étrangers sont le Pakistan et la Pologne. Viennent ensuite le Royaume-Uni, la Russie et d'autres pays de l'ex-URSS, l'Allemagne, l'Égypte, la Chine, l'Iran, l'Australie, la Nouvelle-Zélande, le Soudan, la Belgique et l'Inde. Les thés du Bangladesh, proches de ceux du sud de l'Inde, donnent une liqueur à la couleur et à l'arôme agréables, au goût légèrement épicé. Ils se boivent de préférence avec du lait.

Jardin recommandé
Chittagong.

C . E . I .

AZERBAÏDJAN

Les principales régions productrices de thé sont Lenkoran, Massallin, Lerik et Astar. En 1988, la production était de 35 800 t, mais elle chuta pour n'atteindre plus que 9 300 t en 1992 et 1 200 t en 1995. Depuis lors, elle a augmenté à nouveau et deux joint-ventures ont été créés, l'un avec la Turquie, l'autre avec les Émirats arabes unis.

GÉORGIE

Avant la guerre civile de 1993-1995, la culture du thé se pratiquait dans l'ouest du pays et dans la province d'Abkhazie. Depuis 1993, la production est quasiment nulle.

RUSSIE

La culture du thé en Russie remonte à 1833 : des graines furent alors semées au jardin botanique de Nikity, en Crimée. Pourtant,

Plantation de thé à Sochi, dans la région de Krasnodar, en Russie.

l'industrie ne prit son essor qu'après la Première Guerre mondiale, pour prospérer rapidement au sortir de la Seconde. Aujourd'hui, la principale région productrice de thé de Russie est la province de Krasnodar, dans le sud-ouest du pays.

Avant la dislocation de l'URSS, les théiers occupaient une superficie de 1 500 ha et produisaient entre 3 800 et 4 400 t par an, dans deux manufactures. Au milieu des années quatre-vingt-dix, la production était presque totalement interrompue.

IRAN

Le thé est cultivé depuis 1900 dans le nord du pays. Ce thé noir donne une liqueur rougeâtre, légère et onctueuse, qui se boit de préférence sans lait.

Jardin recommandé

Elbourz.

MALAISIE

La plantation de thé des Cameron Highlands, non loin de Kuala Lumpur, fut créée en 1929 par le fils d'un fonctionnaire colonial britannique. Il lui donna le nom de Boh en souvenir de Bohea, région de Chine où, selon la légende, le thé fut découvert. Au départ, la main-d'œuvre venait d'Inde. Désormais, elle est petit à petit relayée par des travailleurs du Bangladesh.

La plantation de Boh, qui produit 70 % des thés de Malaisie, bénéficie de conditions climatiques quasi idéales. Ce sont des thés noirs orthodoxes d'honnête tenue, qui donnent des liqueurs légères et brillantes, proches de celles des thés de Ceylan de qualité moyenne.

Jardins recommandés

Boh et Blue Valley.

Sélection de thés de Malaisie.

NÉPAL

Le gouvernement népalais a encouragé la culture du thé sur les pentes de l'Himalaya. Les feuilles de thé noir produisent une liqueur onctueuse, subtile et parfumée. Les exportations sont limitées, en raison d'une forte demande locale.

TURQUIE

Les plantations turques, en activité depuis 1938, se trouvent dans la région de Rize, proche de la mer Noire. Elles produisent annuellement quelque 110 000 t de thés noirs de grade moyen, en majeure partie consommés sur place. Ces thés à petites feuilles donnent une liqueur sombre au goût presque sucré, qui fait penser aux thés russes et se boit de préférence avec du lait.

VIÊT-NAM

Les Français créèrent les premières plantations en 1825, mais l'industrie du thé souffrit beaucoup des guerres qui sévirent en permanence dans la région. Lors de la reconstruction du pays, priorité n'a pas été donnée à la culture du thé, mais le Viêt-nam dispose d'un potentiel extraordinaire. Différentes compagnies étudient actuellement la faisabilité d'une remise à niveau. La décentralisation a permis aux provinces de traiter directement avec l'étranger, et des licences d'exploitation ont été accordées à certaines compagnies. Les plantations produisent d'ores et déjà 44 000 t de thé par an, dont 27 000 t de thé vert. Les thés noirs sont des thés CTC, en grande partie exportés vers l'Allemagne.

OCÉANIE

PAPOUASIE-NOUVELLE-GUINÉE

AUSTRALIE

AUSTRALIE

L'Australie produit seulement 1 600 t de thé par an, en majorité du thé noir (et un peu de thé vert). La première plantation vit le jour dans le Queensland à la fin des années 1880, mais elle fut balayée par un cyclone en 1918. La production reprit en 1959. Furent alors créées la plantation Nerada, près d'Innisfail, et d'autres dans le Queensland et la Nouvelle-Galles du Sud. Les thés noirs sont principalement des thés CTC destinés à

Sélection de thés provenant des plantations de Madura.

remplir les sachets, des thés à feuilles pour les paquets et des thés verts orthodoxes dont l'aspect torsadé évoque celui des thés verts produits par de nombreux pays d'Asie.

Jardins recommandés

Nerada et Madura.

PAPOUASIE-NOUVELLE-GUINÉE

La terre et les conditions climatiques sont idéales pour la culture du thé. On trouve des forêts et des montagnes à l'intérieur du pays, des plaines marécageuses près du bord de mer. Les plantations se situent dans les montagnes de l'Ouest.

ADRESSES UTILES

BOUTIQUES SPÉCIALISÉES

FRANCE

Mariage Frères
30-32, rue du Bourg-
Tibourg
75004 Paris
Tél. (33-1) 42 72 28 11

13, rue des Grands-
Augustins
75006 Paris
Tél. (33-1) 40 51 82 50

Les Arceneaux
25, cours d'Estienne-
d'Orves
13001 Marseille
Tél. (33-4) 91 54 39 37

Malleval
11, rue Emile-Zola
69002 Lyon
Tél. (33-4) 78 42 02 07

Zuber
5, rue de Longchamp
06000 Nice
Tél. (33-4) 89 44 13 88

Ventilo
27, rue des Étuves
34000 Montpellier
Tél. (33-4) 67 60 98 40

Le Comptoir
Les Halles centrales
35000 Rennes
Tél. (33-2) 99 79 66 11

English Shop
103, rue Ganterie
76000 Rouen
Tél. (33-2) 35 71 72 80

Carcano
6/8, rue de la Pierre-Hardie
57000 Metz
Tél. (33-3) 87 63 72 86

Grain de café
49, cours Lafayette
83000 Toulon
Tél. (33-4) 94 92 79 22

London Bridge
7, rue Folco-de-Baroncelli
Place Crillon
84000 Avignon
Tél. (33-4) 90 85 33 42

Le Comptoir
5, rue des Merciers
35400 Saint-Malo
Tél. (33-2) 99 40 98 25

SUISSE

Le Royaume du thé
14, rue d'Italie
1204 Genève
Tél. (41) 22 312 43 67

L'Art du thé
Pfistergasse 7
6003 Lucerne
Tél. (41) 41 240 32 20

Boutique Cardas
10, rue du Bourg
1003 Lausanne
Tél. (41) 21 312 55 60

VENTE PAR CORRESPONDANCE

Mariage Frères
91, rue Alexandre-Dumas
75020 Paris – France
Tél. (33-1) 40 09 81 18
Fax (33-1) 40 09 88 15

MUSÉES DU THÉ

FRANCE

Musée du thé
Mariage Frères
30, rue du Bourg-Tibourg
75004 Paris
Tél. (33-1) 42 72 28 11

GRANDE-BRETAGNE

The Bramah Tea and
Coffee Museum
The Clove Building,
4 Maguire Street

London SE1 2NQ
Tél. (44-171) 378 0222

CHINE

The China National Tea
Museum
Shuangfeng Village
Longjing Road
Hangzhou
Tél. (86) 724 221

Museum of Tea Ware
Flagstaff House

Hong Kong Park, Central,
Hong Kong
Tél. (852-2) 869 06 90

JAPON

Musée du thé
Mariage Frères Japon
Suzuran-Dori, 5-6-6 Ginza,
chuo-ku, Tokyo
Tél. (81-3) 3572 1854

INDEX

REMERCIEMENTS

L'éditeur souhaite remercier de leur contribution les personnes, sociétés et organismes suivants :
M. Edward Bramah, du Bramah Tea and Coffee Museum, qui nous a autorisés à photographier sa collection ; Bodum (GB) Ltd pour le prêt des ustensiles figurant p. 50, 51 ; Whittards of Chelsea pour le prêt d'une cuillère infuseur p. 52, de tasses à infuseur p. 53 et d'une passoire pivotante p. 58 ; Simpson & Vail, Inc. pour la fourniture de l'infuseur à thé en mailles d'acier, du filtre en mousseline, de l'infuseur à poignée à ressorts, de l'infuseur à théière p. 52, de la passoire en bambou et de la passoire anglaise p. 58 ; Stash Tea pour la boule à thé et le filtre p. 52, Su Russell de la College Farm Tea House, Finchley, Londres, pour nous avoir gentiment autorisés à photographier le salon de thé p. 87.

Tous les thés figurant dans le guide ont été fournis par la maison de thé Mariage Frères, Paris, sauf : Gunung Rosa – Matthew Algie & Company Limited ; Pouchong, Keemun Mao Feng, Gyokuro – India Tea Importers ; Ndu, Djuttitsu Clonal, Tole, Namingomba, Kavuzi, Kilima – Wilson Smithett ; thé zoulou – Taylors of Harrogate ; Hojicha, Bancha, Jasmine Pearl – Whittards of Chelsea ; Sencha, Genmaicha – Simpson & Vail, Inc. ; Assam Blend, Darjeeling Blend, Rose Pouchong, Kenya Blend – Twinings.

CRÉDITS PHOTOGRAPHIQUES

p. 8 Tea Council d'Afrique du Sud, p. 10 The Tea Council Limited (GB), p. 12, 13, Yozo Tanimoto, Japanese Tea Association, p. 15 Collection Mansell, p. 16 (h) Collection Mansell, (b) Twinings, p. 17, 19 The Tea Council Limited (BG), p. 20 Collection Robert Opie, p. 21 Collection Mansell, p. 23 Tea House College Farm, Finchley (Londres), p. 24 Collection Mansell, p. 26 Carritt Moran & Co. Pvt. Ltd, Inde, p. 28 (h) Carritt Moran & Co. Pvt. Ltd, (b) The Tea Council Limited (GB), p. 29 (h) The Tea Council Limited (GB), (b) Carritt Moran & Co. Pvt. Ltd, p. 34 The Tea Council Limited (GB), p. 37 Lonrho Tanzanie, p. 38 The Tea Council Limited (GB), p. 40 Barber Kingsmark, p. 41 Bill Edge, p. 43 The Tea Council Limited (GB), p. 46 Transfair International, p. 50 (h) Simpson & Vail Inc., p. 62 Mariage Frères, p. 64 Mike Adams, p. 73 The Tea Council of South Africa, p. 75 (b) Simpson and Vail, p. 80 Twinings, p. 84 Conseil du thé d'Allemagne, p. 89 Japan Tea Exporters' Association, p. 90 Dr Maureen Huggins, p. 91 Life File, p. 93 Images Tony Stone, p. 95 Columbus Communications, p. 105 Compagnie de développement du Cameroun, p. 108 Tea Council du Kenya, p. 111 Tea Research Foundation (Afrique centrale), p. 114, 115 Tea Council d'Afrique du Sud, p. 117 Brooke Bond Tanzania Limited, p. 121 Carritt Moran & Co.Pvt. Ltd, p. 122 Tea Board of India, p. 123 Mohammed Fareed, Nalani Tea Estate, p. 128 Tea Research Association (nord-est de l'Inde), p. 128 Tea Board of India, p. 133, 134 Carritt Moran & Co. Pvt. Ltd., p. 138 Takeshi Isobuchi, p. 139 Tea Promotion Bureau, Sri Lanka Tea Board, p. 147 The Tea Council Limited (GB), p. 148, 149, 150 Mike Adams, p. 157 Takeshi Isobuchi, p. 163 Images Tony Stone, p. 167 Yozo Tanimoto, Japanese Tea Association, p. 169 Yozo Tanimoto, Japanese Tea Association, p. 177 Establecimiento Las Marias SA, Argentine, p. 179 (h) Images Tony Stone, (b) Ethiopian Tea Development and Marketing Enterprise, p. 181 Wilson Smithett & Co., p. 184, 185 Life File, p. 187 Madura Tea Estates.

THE
MILLION
DOLLAR
GOAL

THE MILLION DOLLAR GOAL

Dan Gutman

Hyperion Paperbacks for Children
New York

First Hyperion Paperback edition, 2005
This book is set in 12/19 Palatino.
1 3 5 7 9 10 8 6 4 2

Printed in the United States of America

Library of Congress Cataloging-in-Publication Data on file.
ISBN 0-7868-1883-2 (tr. ed.)
ISBN 0-7868-5494-4 (pbk. ed.)
Visit www.hyperionbooksforchildren.com

To Donna Bray

Contents

PROLOGUE

A LITTLE LESS CONVERSATION

DAWN: You tell the story, Dusk.

DUSK: I'm not telling the story. I hate telling stories. And besides, I don't have time. I've got to go to hockey practice.

DAWN: Oh, come on. You've got more time than I do.

DUSK: Do not. I won't tell it.

DAWN: You're still mad. That's why you don't want to tell the story.

DUSK: I am not. That has nothing to do with it. I just don't want to. Look, you're the better writer. You're the one who gets straight A's every term. You like to read and stuff. You actually like doing homework! Just tell the story and leave me out of it.

DAWN: Well, it's true that I'm the better writer. But I'm the better hockey player too.

DUSK: Yeah, in your dreams you're the better hockey player! Man, why couldn't I have had a normal sister like other kids? Why did I have to have a twin?

DAWN: I feel the exact same way. Why couldn't I have had a normal brother?

DUSK: I guess it's a twin thing.

DAWN: What is?

DUSK: Feeling the exact same way. A lot of times you and I feel the exact same way. It's a twin thing.

DAWN: Yeah, but a lot of times you and I feel completely different. Look, how are we going to decide who's going to tell the story?

DUSK: I don't know. Rock paper scissors?

DAWN: No. You always cheat.

DUSK: Draw straws?

DAWN: No. Maybe we should flip a coin.

DUSK: Fine. Whatever.

DAWN: Heads, you tell the story. Tails, I tell the story.

DUSK: Flip it.

DAWN: Okay, here goes. . . .

DAWN: Okay, okay. I'll tell the story.

DUSK: And you'd better tell it exactly the way it happened.

DAWN: And what exactly do you mean by that?

DUSK: You always add stuff and change stuff around to make things sound better. This is my story too, and I want it told right.

DAWN: I do not "add stuff." What I do is called "descriptive writing." Just like Mrs. McElroy told us in Language Arts. And if you want the story told a certain way, why don't you just tell it yourself? That's what I said you should do in the first place.

DUSK: I'm not writing it. But I think I should get to read it every step of the way. And if there's anything I don't like, I should be able to change it.

DAWN: You will not change my words!

DUSK: I'm not going to let you screw everything up.

DAWN: I will not screw everything up!

DUSK: Well, I want some input.

DAWN: How about this. I'll write the story, and you

can read it. You can't change it, but you can add stuff if you feel I made any mistakes or left anything out. Like a footnote. How's that?

DUSK: Hmmm . . .

DAWN: Well?

DUSK: I'm thinking.

DAWN: That's a first.

DUSK: Shut up. Okay, that sounds all right to me. You write the story, and I get to add my own intelligent comments whenever I like. Deal?

DAWN: Deal.

DUSK: Good. I gotta go to practice. Just tell the story the way it happened.

DAWN: Okay, okay, here goes. I guess you can say it all started on the moon. . . .

PLAYIN' FOR KEEPS

"Ladies and gentlemen, welcome to LHL 3000. Tonight, it will be the visiting Lunar Hockey League champions, Kepler Tides, facing off against the home team, Tranquility Base Lunatics. Folks, it's a lovely night at Armstrong Stadium in the Sea of Tranquility. There's very little solar wind and the temperature is a nippy minus two-twenty-three degrees Fahrenheit, so the fans are bundled up. I guess we won't have to worry about the ice melting tonight—eh, Boomer?"

"Ha-ha-ha, that's right, Rick. We're just about ready to get underway. Both teams are gathering at center ice. Tonight's game is brought to you by the fine folks at Polar Spring Water. When your throat is parched and there's no moisture within a quarter of a million miles, nothing quenches your thirst like a Polar Spring."

"Boomer, they're facing off now. The referee has dropped the puck and it's floating slowly down to the ice. Legroin gets the puck over to Fisher. Fisher passes to Rockville in his own zone and he moves past the blue line. It's amazing how fast he can skate in lunar gravity while wearing that clunky spacesuit. I notice that Morris, the left wing for the Tides, is tugging at his mask."

"I noticed that too, Rick. He wants to make sure oxygen is flowing freely through the tubes. The slightest hole or gap and he would be dead in a matter of seconds. Jones is open on the right side. He is smacking his stick against the ice to let Rockville know he wants the puck."

"But wait, Boomer! Marshall checks Jones hard off the boards. He sails about ten feet over the ice. He's floating down now. Oh, his mask has been knocked off! He's gasping for air."

"It looks like he's dead, Rick."

"Yes, he is very much dead. Too bad. Kids, if you're playing in an airless environment, keep your mask on at all times. Tough break for the

Lunatics, Boomer. Jones is the second defenseman they've lost this week."

"It's all part of the game, Rick. Hockey is a rough sport, especially up here on the moon. At least he died almost instantly."

"Yes, we can be thankful for that, Boomer. There was no break in the action. The rookie, Robinson, is skating onto the ice as Jones's lifeless body is being carried off."

"Wait, Rick! Kempa of the Tides and Marshall have dropped their gloves. Kempa apparently thought Marshall made an illegal hit on Jones. The fists are flying now. These two are going at it! Oh, you hate to see that."

"I can understand getting a bit emotional after a teammate has suffocated in the first period, Boomer. But still—"

"Marshall is stomping on Kempa's stomach with his skate. Oh, that's got to hurt, even in one-sixth gravity! And now the fans are throwing moon rocks onto the ice. While the refs clear the ice, let's look at the fast-mo replay of Jones before he died."

"Well, it looked like a legal hit to me, Boomer. As play resumes, Fisher gets the puck just past the blue line. He's got an open shot and he slaps it over the goal, over the glass. . . ."

"That one's floating over the wall, Rick. It's going . . . going . . . it's . . . out of here! That baby might make a complete lunar orbit! Some lucky fan gets a souvenir, eventually."

"Will you please turn off that stupid video game!" Dad shouted from upstairs.

Oh, man. Our dad is so cliché. LHL 3000 is our favorite game. Playing hockey on the moon is really cool, and you can also customize the settings of the game so you can simulate the gravity, environment, and atmosphere of other planets in the solar system too.

Yeah, Dawn wants to play hockey on Uranus.

Oh, shut up, Dusk. Is that your idea of one of those intelligent comments you have to put in? You are so immature. I mean, does that really add to the story?

I couldn't resist.

Are you finished?

No.

Anyway, our dad doesn't exactly like hockey. He hardly ever comes to our hockey games, and

8

when he does come, he reads the newspaper instead of watching us play.

This is mind-boggling to me. How can anyone not like hockey? I mean, we live right outside Montreal! The first organized hockey game was played right here between two teams of students at McGill University back in 1875 at Victoria Skating Rink. You could look it up.

Hockey is our national sport. Canadians live and breathe hockey. Not liking hockey is just about against the law. Canadians not liking hockey is like the English not liking tea. Mexicans not liking tacos. Chinese people not liking . . . Chinese food.

Okay, we get the idea. But you know the real reason why Dad doesn't like hockey. He's not from Canada.

Well, that's true, I suppose. Our dad grew up in the United States, and baseball is his game. He would buy us bats and balls and gloves, but never any hockey gear. We have to buy that with our own money.

Now, baseball is a game I just don't understand. You've got nine guys pretty much standing around spitting and scratching themselves for a few hours. What's so interesting about that? Every hour or so, somebody will make a big hit or run or something, and then you have to sit around waiting another hour for something exciting to happen again.

I totally agree.

It must be a twin thing.

Meanwhile all those obsessed fans sit there arguing over whether the pitcher should have thrown a fastball or the hitter should have bunted or the manager should have picked his nose or whatever. Who cares? Give me some hockey action any day!

Dad took us to a few baseball games when we were little, hoping to turn us into fans. I remember he would lean over to me and Dusk and say something like, "Kids, the count is three and one, and there's a runner on first with one out. Do you think they should put on the hit-and-run to stay out of the double play?" And we'd say, like, "Whatever" or "Can I get ice cream now?" or "When is the game over?" He'd get so mad!

Remember the time we spent the whole game trying to get our faces on TV?

Yeah, that was great. If the truth be told, baseball is a wimpy game.

No argument there.

Now, hockey, *that* is a game! It's got everything. It's got speed. It's got excitement. It's got action. It's got skill and teamwork.

Oh, come off it. The best part about hockey is the fights. When two guys drop their gloves and start slugging each other, that is exciting! Did you ever see baseball players fight? They dance around like trained bears in the circus. It is pathetic. But nothing is cooler than watching two hockey players pummel each other until one of them has to be carried off the ice.

My brother is sick and needs counseling, needless to say. Hockey fights are fine for Neanderthals such as Dusk and his friends. I prefer to focus on the beauty of the sport. Did you ever watch a good hockey team bring the puck down the ice, passing smoothly back and forth? It is like poetry in motion.

As a matter of fact, last year in Language Arts Mrs. McElroy asked us to write a haiku about anything we wanted, and I wrote this one about hockey. . . .

> *Thin blades of steel glide,*
> *graceful in a frozen world.*
> *She shoots. She scores. Goal!*

11

I got an A for that. Mrs. McElroy told us that Japanese haiku is a way to capture moments of being alive by using sensory images. In writing them, you can express your personal spiritual philosophy and experience the feelings of the moment. In Japan, they're valued for lightness, simplicity, openness, and depth.

Wait a minute. I thought we had a deal that there would be none of your stupid poems in this story.

We made no such deal.

So we didn't make the deal, but you admit your poems are stupid?

I do not!

Oh, so your poems are stupid, but you aren't willing to admit it?

Will you shut up? My poems are not stupid. Look, you forced me to tell the story because you didn't want to. So please go play in the traffic or something.

Okay, but if you're going to put your stupid hockey haiku into the story, then you have to put my infinitely superior haiku in too. . . .

Bloody goon busts heads—
Go to the penalty box!
Get the puck out of here!

You're an idiot, you know that? "Get the puck out of here" has six syllables, and a haiku always has three lines of five, seven, and five syllables.

Oh, what are you going to do, call the haiku police on me? What difference does it make?

Anyway, before I was so rudely interrupted by my obnoxious twin brother, I was trying to explain why hockey is the best game in the world. It is also one of the oldest sports. Most people don't know this. The first skates were made from animal bones. The game got its name from the stick, which was called "hockey" after the Old French word for the curved stick that shepherds used to carry: *hoquet*.

Can you wake me up when you're finished? Nobody cares about that boring history stuff. I'd rather watch a baseball game than listen to the history of hockey. Get on with the story.

Okay, okay. Dusk and I have both been playing hockey since we were little. First we were in the mighty mite league. That's for kids six years old and under. Then we moved up to the mite league, which is for seven- to nine-year-old kids. We were on the same team back then.

Now we're in the squirt league, where the boys

and girls play on separate teams. We're eleven, but when Dusk turns twelve and I turn thirteen, we'll move up to the peewee league. Most people who have seen us play agree that Dusk is the better skater, but I'm the better shooter.

Ahem. Excuse me? That's a lie and you know it.

He's probably right. I'm a better skater *and* a better shooter.

Shut up.

HARDHEADED
WOMAN

The first thing that happened when we got home from practice (I scored two goals, by the way) was that our mom said she had good news for us. Dad got tickets to see the Montreal Canadiens play that night!

Well, we both just about fainted! Dad hardly ever takes us to hockey games. The tickets are expensive and hard to get, and after all, he doesn't even particularly like the game.

Dad told us he got free tickets for the whole family from one of his clients who had season tickets and couldn't use them that night. Dad works for an advertising agency and every once in a while he gets free stuff. But usually it's stuff we don't want, like coffee mugs and key chains.

As usual, Dawn has it all wrong. The first thing that happened when we got home that night was that Oma farted.

Do you have to write that? My brother is so disgusting!

Well, it's true. Oma is our grandmother. Her real name is Sophie Rosenberg, but we've always called her Oma. She farts all the time. If you're going to tell a story, you might as well tell it accurately. Remember what Mrs. McElroy said. Descriptive writing. You're supposed to paint a word picture and all that.

You want me to paint a word picture of Oma farting?

Yes!

Okay, well let me see if I can put this delicately. Oma lives with us. She's been living with us for years, ever since Poppop died. When she was younger, Oma and Poppop ran a little upholstery shop. They would fix people's couches and chairs and so forth. But she's been retired for a long time.

Oma is not in the best of health. That's another reason why she lives with us. She doesn't get around very well anymore. She uses a walker most

16

of the time, and when she has to travel long distances she has to use a wheelchair, even though she doesn't want to. And yes, she has some problem with her guts or something that causes her to, uh, pass gas quite a bit.

It's called farting. It's not a dirty word. It's a perfectly natural bodily function. It cleans out the pipes. That's what Oma says. She says that's why she's lived so long. Because she farts so much that her pipes are really clean.

Okay, okay, farting. Fart fart fart. Are you happy now, Mr. Potty Mouth? We came home from practice and Oma farted. I was all grossed out, of course.

"What's the matter?" Oma said. "Haven't you ever heard a bleeping fart before? People bleeping fart! It's part of bleeping life. You might as well get used to it, because when you get to be my age, you'll bleeping fart all the time, that is, if you live this long."

Oh, I forgot to mention, that's another embarrassing thing about Oma. She curses a lot. Me, I don't curse at all. Some people might let out a curse word when they stub their toe, or if they hit their thumb with a hammer. But to Oma, cursing is like one of the parts of speech or something. Nouns, verbs, adjectives, and four-letter words.

Mom and Dad tried to get her to tone it down, especially in front of me and Dusk, but it was no use. She's old and set in her ways.

"Freedom of speech includes cussing," Oma always says.

So Dusk and I were all excited about going to the hockey game that night, but Oma didn't want to go. She never wants to go anywhere. That's why we hardly ever get to go on family vacations. And when we do go, sometimes we have to come back early because Oma says she wants to go home.

Anyway, Oma started in with her usual when-I-was-your-age routine.

"When I was your age," she said, "we didn't go to bleeping hockey games. We did our bleeping homework at night. We did our bleeping chores. What chores do you kids have? None. That's why you'll never amount to anything. All you do is play bleeping hockey and those bleeping video games. You never worked a day in your bleeping lives."

Don't forget Velvet Elvis.

18

Oh yeah. Oma is in love with Elvis Presley. Apparently she met him when she was younger, and ever since then all she cares about is Elvis. Elvis Elvis Elvis. The guy has been dead for, like, eternity, but Oma still worships him.

"He's still alive, you know," she always says.

Yeah, right. Oma is one of those people who thinks Elvis faked his own death and he's still running around out there somewhere. Every so often you hear that somebody spotted Elvis shopping at Wal-Mart or ordering a burrito at Taco Bell. Oma is one of those people. I'm sure she would see Elvis all the time if she ever went outside.

She's got this Elvis shrine in her room, and she insisted that Mom and Dad put up this big framed portrait of Elvis over the couch on the living-room wall. Mom says the picture is "khalooscious," which I think means "horribly ugly" in Yiddish. I'm sure I didn't spell it right, but I know it starts out with that clearing-out-your-throat sound.

It's on velvet!

Yes, and that makes it even more repulsive. We call it Velvet Elvis. A couple of years ago Dad took Velvet Elvis off the wall, thinking Oma might not notice. But the second she came into the living room, she just about threw a fit and Dad had to put Velvet Elvis back.

Oma says that Elvis Presley himself gave her Velvet Elvis as a present, and that it is her good-luck charm. So we have to keep it up on the wall until Oma dies, I suppose.

The point I was trying to make is that Oma is a bit of an embarrassment to us all. Dusk and I never have friends over to our house. Oma is always home. We know she's going to curse and say rude things and fart in front of our friends. And we know our friends would go back to school and tell everybody we've got this giant Elvis on velvet hanging on the living-room wall. They would think we were a bunch of freaks.

Why don't you come out and say it?

Say what?

Say what we talked about.

I'm not going to say that!

Then I will. We both agreed that we kinda sorta wished Oma would die already.

Dusk, that's a horrible thing to say! I'm crossing that out.

Go ahead, but it's the truth.

3

MONEY HONEY

None of us thought anything of it when we saw the sign outside the Molson Centre that said MILLION DOLLAR GOAL CONTEST TONIGHT. At least none of us said anything about it at the time. I figured it was probably a charity promotion that the players would be participating in, or something like that.

The only thing Dusk and I were thinking about was the game. We hadn't seen the Canadiens for about a year (except on TV, of course) and we were really looking forward to seeing them play. They're our hometown team, and we're big fans.

Dusk and I are too young to have seen the Montreal greats from the past—Maurice Richard, Guy Lafleur, Dickie Moore, and the rest—but I've seen pictures and film of them. The Canadiens have won twenty-four Stanley Cup titles since the team started way back in 1909. They're probably the best team in the history of professional hockey.

The Molson Centre is right in the middle of downtown Montreal, just west of Windsor Station. As we pulled into the parking lot, Dusk was already bugging Dad to tell him where our seats were. Dusk likes to sit behind the goal so he can watch the goalie. I'd rather sit in the middle so I can follow the flow of action.

Dad pulled out the tickets while he was getting Oma's wheelchair out of the trunk.

"Section two-oh-three, row L, seats one through five," he said.

"Oh, man, section two-oh-three sucks, Dad!" Dusk complained. "You can't see squat from there."

"The seats were free," Dad grumbled.

"We don't have to stay, Dusk," Mom said sweetly. "If those seats aren't good enough for you, you can stay home and do nothing."

Mom has a way of putting things into perspective. Dusk shut his mouth.

"Why do I have to sit in that bleeping

wheelchair?" Oma said in the parking lot. "I'm not a bleeping cripple."

Even though we were able to park in a handicapped spot, it was still quite a distance from the stadium, and Oma would not have been able to walk it.

"I just want you to be safe, Mom," Dad said. He was having a hard time unfolding the wheelchair. I could tell from the tone of his voice that he was tired of hearing complaints. After all, he was taking us all out to a hockey game, and he doesn't even like hockey.

I went over to help him with the chair. It took a long time to transfer Oma out of the car and into the wheelchair. Dad's video camera was hanging around his neck, and every time he moved, the camera would bang into the wheelchair or the car.

Dad is a video nut. He has one of these tiny little video cameras and he takes it everywhere. He tapes everything. He has a huge collection of videos down in the basement.

"Someday, all this will be yours," he likes to say about his tapes. Dad is so cliché. I'd hate to break the news to him that everything is on DVD now and his collection of tapes is obsolete.

"Why did we have to bring Oma?" I overheard Dusk whisper to Mom. "She couldn't care less about hockey."

Dusk knew perfectly well why we had to bring Oma. It wouldn't have been safe to leave her home by herself. If she had fallen down, she might not be able to get up. There might be an emergency if she was home alone. She might not be able to get to a phone. I mean, we leave her home for an hour or so if we have to, but not often. I think Dusk was just impatient to get inside and watch the Canadiens warm up.

Excuse me if I correct the facts here for a moment. It wasn't that I didn't want Oma to come to the game with us. It was just that I thought she would be happier staying at home. She doesn't like hockey, and she would be able to watch TV.

Yeah, right. Nice try, Dusk. Anyway, we finally got Oma into the chair and made our way into the Molson Centre. It was still early, but the place was already filling up. The Canadiens usually sell out. Mom got me cotton candy and Dusk some popcorn. I made sure to thank her, and Dad too, for getting the tickets.

We took the elevator to the 200 level so

we wouldn't have to push Oma's wheelchair up the ramp. Mom and Dad had to struggle with it after we found section 203. The rows were just a few inches wider than the wheelchair, and it kept bumping the seats on the sides. Then they had to pick Oma up and transfer her to the regular seat. And she was complaining the whole time.

"I can't bleeping see," Oma said once she was finally settled in her seat. It was true. Oma is really short. There was a guy in front of her, and his head was blocking her view.

"What does she need to see for?" Dusk whispered to me. "She'll probably sleep through the whole game anyway."

"Dusk, you switch seats with Oma," Dad said.

"Oh, man!"

It took another five minutes or so for us to pick up Oma and switch her over to the next seat. By the time we were finished, warm-up was over and the game was about to begin.

"Don't forget, fans!" the announcer said. "Stick around at the end of the game. That's when we will select the winner of our million dollar goal contest."

A buzz went through the crowd. A guy in the row behind us said that they were going to pick one fan to take a shot, and if he made it, he would win a million dollars.

"Or she," I told the guy. "It could be a girl, you know. Girls play hockey too." The guy just rolled his eyes.

Dusk claimed he could put a puck in the goal from anywhere on the ice with his eyes closed. He probably could. The only problem was that the Molson Centre holds more than twenty thousand people. So each of us had a one in twenty thousand chance of getting picked to shoot the million dollar goal.

"Very clever marketing," Dad said. "By having the contest at the end of the game, they are making sure nobody leaves early."

"What difference does it make if people leave early?" I asked. "They already paid for their tickets."

"Well," Dad explained, "if people stick around until the end, they'll buy more food, more drinks, more souvenirs, spend more money. Hockey teams probably generate more revenue from concessions than they do from tickets."

I had never thought about that. But I guess marketing and stuff is Dad's business, so he thinks about it all the time.

As it turned out, a lot of people left early anyway. The Canadiens had a bad night, and the game was a blowout. They were behind 4–0 after the first period, and it just kept getting worse. I had never seen them so flat. There weren't even any good fights to hold Dusk's interest. Oma was asleep in her seat by the second period, and none of us bothered waking her up. Dad was shooting video, for no apparent reason.

"Let's get out of here," said Dusk, who hates to see the Canadiens get clobbered.

"It would be nice to beat the traffic out of the parking lot," agreed Dad, turning off his video camera.

"Oh, come on," I said. "We only get to see one hockey game all season. Can't we stay till the end?"

"Okay," Dad grumbled.

At the end of the third period, the Canadiens' coach had pulled out all the regulars and replaced them with a bunch of new guys none of us had ever heard of. The final score was something like

8–1. Some of the fans were booing as the players left the ice.

"Okay, hockey fans," the public-address announcer suddenly boomed, "who wants to win a million bucks?"

Everybody screamed, and we stopped thinking—at least for a while—about how terribly the Canadiens had played. The house lights went on, and a couple of guys started wheeling something out to center ice. I looked through Dad's binoculars and could see it was a big TV camera on a rolling tripod.

"Tonight, we are going to pick *ONE* lucky fan to take *ONE* shot on goal. And if that *ONE* lucky fan is lucky enough to hit the target, that *ONE* lucky fan will win . . . *ONE* . . . million . . . dollars!"

"Yeeeeaaaaahhhhhhhhhhhhh!" the crowd roared.

Dad pulled out our tickets to look at the numbers on them. I had heard about these contests before. They have them in basketball, football, baseball, and some other sports too. They usually pick one ticket randomly and the person holding that ticket gets to shoot, kick, or throw something at a target to win a lot of money. It's never easy, and the person almost always misses. The pressure must be incredible, with all those people watching you.

"You can put your tickets away," the public-address announcer said. "Ladies and gentlemen, we've got another way to find our lucky fan. . . ."

The big JumboTron screen at the far end of the rink lit up. You could tell that it was hooked up to the TV camera that was at center ice, because the camera was slowly rotating around in a circle and the image on the JumboTron was spinning. The camera was sweeping across the crowd.

"Very clever," Dad said. "They realize that the younger generation of hockey fans responds to pictures better than words. These guys know their business."

As the camera swept by our section, Dusk and I got up and waved. So did everybody else. I thought I caught a glimpse of us up on the JumboTron, but it went by so fast I wasn't sure.

"Fans, as you know, this was the last game of the current homestand. But the Canadiens will be back after a long road trip. Tonight, we will select our lucky fan. And one month from today, on February twenty-first, that lucky fan will be invited back here to the Molson Centre to shoot for that million dollar goal."

"Brilliant," Dad said. "They're trying to sustain interest in the team during the road trip and pump up the attendance for the next homestand. I'll bet the Canadiens will be playing the weakest team in the league on February twenty-first. Now they'll sell out that night instead of having thousands of empty seats. Brilliant marketing. No wonder these guys can afford to give away a million dollars."

"Do you think we have a chance to win?" Dusk asked me as the camera panned past our section.

"Sure we've got a chance," I said. "A one in twenty thousand chance."

"Around and around and around she goes," the annoucer said. "Where she stops, nobody knows."

A wave had spread across the crowd. As the camera rotated, all the fans in the section it was pointing to stood up and screamed.

"I'm getting dizzy just looking at that," Mom said. "I wish they would pick somebody and get it over with."

"They're trying to heighten the drama," Dad explained.

"Will you be in the lucky section?" the announcer asked. "Which lucky section will it be?"

The camera stopped spinning suddenly. It was pointing in our direction.

"Section two-oh-three!" the announcer hollered.

Everybody in our section screamed. I could see our faces, even though they were very tiny, up on the JumboTron. People in the other sections booed, and many of them started heading for the exits.

"Hey, maybe it's good we didn't leave early," Dad said. He turned on his video camera again and started shooting.

"Do you think we have a chance now?" Dusk asked me.

"Maybe one in a hundred," I replied, looking around to estimate how many people were sitting in section 203. "Or one in two hundred."

The TV camera didn't rotate anymore. Instead, it started to zoom in and out. So the image on the JumboTron showed a single row when it zoomed in, and then when it zoomed out, it showed all of section 203.

"In and out and in she goes," the announcer said. "Where she stops, nobody knows!"

"That man is really annoying," Mom said. "I wish he would be quiet."

"Will you be in the lucky row?" the announcer asked. "Which lucky row will it be?"

The camera stopped zooming suddenly. It was pointing at our row.

"Row L!"

Everybody in our row screamed. I could see our whole family up there on the screen, along with some other people on either side of us.

"Do you think we have a chance *now*?" Dusk asked.

"About one in fifteen!" I said, trying to hold back my excitement. But it wasn't easy. My heart was racing. I couldn't stay in my seat. I might be the lucky one!

The camera started to bounce back and forth, left and right, like it was following a tennis match. It was moving faster now, so I could hardly see myself as it panned past my face.

"Now it's time for us to find the lucky seat!" the announcer shouted. Everybody was screaming, even Mom and Dad.

"Let it be me. Let it be me. Let it be me." Dusk had his eyes closed, his hands clasped, praying.

"Back and forth and back she goes," the announcer said. "Where she stops, nobody knows!"

They must have had a drum machine or something, because a drumroll was pounding out of the speakers. People were clapping along with it and stomping their feet.

"Will you be sitting in the lucky seat?" the announcer asked. "Which lucky seat will it be?"

"Please please please please please please," Dusk mumbled.

And suddenly, the camera stopped. One face filled the JumboTron screen.

It was Oma. She was fast asleep.

THAT'S ALL RIGHT, MAMA

For a moment, we all just sat there, stunned. There was dead silence in the Molson Centre.

They *couldn't* have picked Oma! Out of all of us in Row L, out of all the people in section 203, out of all the fans in the whole stadium, they had to pick a little old gray-haired lady who could barely walk?

Mom and Dad gasped. I heard the people sitting at the end of our row sighing and moaning that they never win anything. Dusk pounded his armrest.

I was pissed! I wanted it to be me so badly! I could make that shot easily. And I was sitting in the lucky seat! If Oma and I hadn't switched seats before the game began, it would have been *me* that was picked to shoot the million dollar goal. It wasn't fair.

Oma opened her eyes and let out a fart.

"Can we go home now?" she asked. "I have to go to the bathroom."

Some of the fans were laughing as they gathered up their coats and things and headed for the exits. A representative for the Canadiens ran over and handed us some paperwork to take home with us and sign.

None of us were sure if Oma even knew what had just happened to her. She had been asleep most of the game. Oma sometimes has trouble sleeping at night, so we hadn't bothered waking her.

When they showed her image on the JumboTron, her eyes were closed. Maybe she slept through the whole thing. Maybe she didn't even know she had been selected to shoot the million dollar goal. Maybe it would be best if she didn't find out.

I looked at Mom and Dad. Dad put a finger to his lips to let me and Dusk know we should keep our mouths shut.

Nobody said anything in the car on the way

home. It was really awkward. This incredibly amazing thing had happened and we were all bursting to talk about it, but nobody was saying a word. We just kept shooting looks at one another. It wasn't until we got home and put Oma to bed that me and Dusk and our parents gathered in the living room to talk it over.

"I know what you're all thinking," Dad said to open the discussion. "But Oma is not going to take that shot."

"That's not what I was thinking," Mom said.

"Oh, man, why not, Dad?" Dusk complained. "What if she makes it? It's a million bucks!"

"She's not going to make it," Dad said. "Don't be ridiculous. She's an eighty-year-old woman who uses a walker."

"She might fall down and break her hip," Mom pointed out.

"The whole experience would be humiliating for her," Dad said. "That's my decision. I'm not going to change my mind."

I told Dad he was crazy. A million bucks is a lot of dough. He could buy a lot of stuff with a million bucks. A new car, one of those cool new video systems, anything he wanted.

"I'm not going to humiliate my mother so I can get a cool new video system."

Dusk said he would. It looked like a family war was going to break out. I wasn't sure who was right or which side I should take. But I tried to think of a solution that might make everybody happy. Or at least make everybody not so mad.

"Maybe," I suggested, "they'll make the shot easier for Oma in some way. They can't expect an old lady who can barely walk to be able to shoot a puck like a young person with no handicap could, right? Why don't we talk it over with the Canadiens? They're good people. Maybe we should find out all the details before we decide whether or not she will try it."

I agreed with Dawn (for once). Must be the twin thing. Dad was assuming that Oma would have to take a regular shot. But people with physical handicaps get to use ramps instead of climbing steps, right? They get the best parking spaces so they don't have to walk far, right? Maybe the Canadiens would make some accommodation for Oma. Like maybe she would get to shoot from the crease instead of the blue line. Something like that.

"You know what I think?" Dad said. "I think

they chose Oma on purpose because she is an old lady who can't walk. They probably spotted us coming into the stadium with the wheelchair and decided right then that they would pick her of all the thousands of people in the stands."

"Why would they do that?" I asked.

"So they wouldn't have to pay out a million dollars, of course!" Dad explained. "They knew that if they picked a cripple, it would be impossible for her to make the shot. She probably wouldn't even take the shot in the first place because her family cares about her and wouldn't let her. Oh, these people are marketing geniuses. They know all the angles."

The discussion would have continued, but at that moment Oma came rolling into the living room in her wheelchair. She had her nightgown on. We all looked up, surprised. I had thought she was in bed for the night.

"Anybody see my bleeping teeth?" she asked. "I can't find 'em anywhere."

Oma is always losing her false teeth.

"Did you look in your mouth, Oma?" Mom asked.

Oma reached into her mouth and pulled out her

teeth. "Oh, yeah. I forgot to look there. Bleep. Good night."

Mom rolled her eyes. It was not the first time Oma had lost her teeth in her mouth. She turned around to roll back to her bedroom.

"Oh, by the way," she said, looking back at us. "I'm not a cripple. And I'm going to take the shot."

DON'T BE CRUEL

"Any way you slice it, Pirelli Pizza is the nicest," Dad said as we ate breakfast the next morning. "What do you think of that?"

"I hate it," Dusk said, grabbing his third pancake.

"Don't you get it?" Dad said. "Slice of pizza? Any way you slice it? That's a great slogan for a pizza place."

"I get it, Dad," Dusk countered. "It's dumb. And 'slice it' doesn't rhyme with 'nicest.' How about this—Pirelli is smelly?"

"Very creative, Dusk," Mom said, getting a cup of coffee. "Short and sweet."

"Smelly?" Dad said, wrinkling up his nose.

"One of the cardinal rules of advertising is, never use the word *smelly*."

"Not all smells are bad smells, Dad," I pointed out. "Pizza is supposed to smell. People love the smell of a good pizza."

"*Smelly* is an ugly word," Dad insisted. "You wouldn't even use *smelly* if you were creating an ad for perfume."

Dad's advertising agency had recently landed the Pirelli Pizza account, and we were trying to come up with a new slogan for them. They didn't like their old slogan—"A little bit of heaven in your mouth." That's probably why they had switched advertising agencies. We spend a lot of time in our house trying to dream up slogans.

We batted around a bunch of ideas until Mom finally broke in and asked, "Has anybody thought about what we are we going to do with Oma? She's going to wake up and come in here any minute."

"What were the exact words she said before she went to bed last night?" Dad asked.

"She said, 'I'm going to take the shot,'" I recalled.

"Maybe she was hallucinating," Dusk said.

"Maybe she was talking in her sleep," suggested Dad. "She does that sometimes, you know. Maybe she won't even remember what she said, or what happened last night."

"It's possible that we misunderstood her," I pointed out. "You know, like when you hear a song and you get the words wrong?"

Mom once told us that when she was a girl, she had heard this song by a guy named Bob Dylan, where he sang, "The answer, my friend, is blowing in the wind," but Mom thought he was singing, "The ants are my friends blowing in the wind." I always thought it was funny.

"Yeah," I said. "Maybe she didn't say 'I'm going to take the shot' at all. Maybe she said, 'I'm going to take you shopping.'"

"Maybe she said, 'I'm going to take a crap,'" Dusk said.

"Language check, Dusk!" Mom warned.

"Hey, Oma is the one who said it, not me."

"Look, it doesn't really matter what she said last night," Dad said. "What matters is what we're going to say when she comes in here for breakfast this morning."

"Maybe we shouldn't say anything," I suggested. "Maybe we should just play it cool and see what she says."

Everybody agreed that was probably the best way to go. We would see if she brought up the million dollar goal herself.

A few minutes later, Oma came hobbling into the kitchen behind her walker. She was singing one of those old Elvis songs she loves so much. I'm not sure which one it was, but one of the lines was, "Wop-bop-a-loom-a-boom-bam-boom." Can you believe people used to listen to that music? I slid over so she could get into her seat more easily.

"Where's the bleeping newspaper?" Oma asked, grabbing a pancake. "And where are my bleeping scissors?"

"Must you use that language in front of the children?" Mom said.

"You mean English?" Oma asked. "Oh bleep, they hear those bleeping words in the school yard every day."

"Well, they don't have to hear them in our kitchen too," Mom said.

I gave Oma the Sunday paper and she started

going through it. Oma doesn't actually read the paper. She couldn't care less about the news of the world. She doesn't cut out coupons, either. The only reason she wants the paper at all is for the contests.

Oma loves contests. She enters the Publishers Clearinghouse Sweepstakes every year. She buys lottery tickets. She enters contests that are on the backs of cereal boxes and cake mixes. We have to buy foods that none of us even like because Oma saw on a TV commercial that there was a contest she could enter.

Every Sunday there are usually four or five contests in the paper, and she enters them all. She'll enter contests to win dumb things like a bag of sponges. She'll enter contests to win things she couldn't possibly use, like sports cars, boats, and even Super Bowl tickets!

It drives Dad crazy. I guess it's because he's in the marketing business and he knows the odds of winning any of those contests are a zillion to one.

"If you still had all the money you've spent entering contests," he likes to tell Oma, "you'd be a millionaire today."

But Oma doesn't care. She spends hours going through these entry forms carefully, making sure she places each little sticker where it is supposed to be, each card in the proper envelope, filling in each blank exactly how it is supposed to be filled in, and making sure she gets her entry form in the mail before the deadline.

"You've got to play by the bleeping rules," Oma always tells us. "If you don't play by the bleeping rules, you can't bleeping win."

Of course, Oma never won anything. That is, she had never won anything until last night.

It was looking like Oma had forgotten all about the million dollar goal contest. She hadn't said anything about it, and the rest of us were all being careful not to mention it. And then Dusk had to go and say—

Now, wait a minute! All I did was ask Oma if she'd had a dream the night before. Don't blame everything on me.

"Yes, I did have a dream last night," Oma replied.

We all shot hopeful glances at each other. Maybe Oma thought that the whole Million Dollar Goal contest had been a dream.

"I dreamed my bleeping teeth fell out," she said. "So I went into the living room to look for them, and you were all in there talking about how Oma the dumb old fart probably was asleep at the hockey game last night and wouldn't remember anything."

"Nobody called you a dumb old fart, Mom," Dad said.

"So you were awake the whole time, Oma?" Mom asked.

"Of course I was bleeping awake! When I'm dead, I'll be able to sleep for the rest of my life. I had my eyes closed because I was praying! It's about time it paid off."

"So you're really going to shoot for the million dollar goal, Oma?" Dusk asked.

"You're bleeping right I am. I've got enough bleeping life in me to push a bleeping coaster into a bleeping net. And then I'll be dancing in the end zone when they hand me that check for a million big ones, believe you me."

"Oma," Dusk said, "it's not a coaster. It's called a puck. And they don't have end zones in hockey. You must be thinking of football."

"Football, hockey, who the bleep cares?" Oma said. "Gimme another pancake."

I looked over at Dad. He was shaking his head slowly from side to side. I could almost hear his brain trying to come up with an argument he could use to talk her out of shooting for the goal.

"Mom, it's really not a good idea," he finally said. "You're just going to embarrass yourself in front of a lot of people."

"You think I'm embarrassed because I've got no bleeping teeth?" Oma asked him.

"No."

"You think I'm embarrassed because I can't bleeping walk like a normal person?"

"No."

"You think I'm embarrassed because I bleeping fart a hundred times a day?"

"No."

"Well, I'm not going to be embarrassed by this, either," Oma said. "The truth is, you're the one who is embarrassed by me."

"I am not," Dad insisted.

"Don't worry," Oma told him. "Soon I'll be dead and I won't be able to embarrass you anymore."

"Mom!"

Boy, and I thought Dusk and I had a hard time getting along with our parents! Dad and Oma were really going at it. I suppose everybody fights with their parents about silly things, no matter how old we are.

"You kids don't know this," Oma said, "but I was quite the athlete when I was a young girl."

She tossed that off very casually, but it took me a little by surprise. It was hard to imagine Oma being a young girl, much less an athlete. She hardly ever mentioned her childhood or told us stories about growing up. Whenever anybody asked her about her childhood, she would just say it wasn't very interesting.

It occurred to me that I hardly knew anything about my grandmother except that she was an old cranky lady. I guess I just assumed that she had always been an old cranky lady, even as a girl. Now it seemed like she was letting us in on a little secret.

"What was your sport, Oma?" I asked.

"I won the Hungarian junior ladies' pole vaulting championship one year," Oma said proudly.

"How many Hungarian junior lady pole vaulters were there?" Dusk asked.

48

"None of your bleeping business!" Oma said. "There would have been a lot more, but they knew they couldn't beat me, so they didn't try."

"Mom," Dad said. "I'm sure you were a great pole vaulter in your day. But that was sixty years ago. You could get seriously hurt if you tried to do something athletic now."

"What's left to hurt?" Oma said. "When I get up in the morning, everything hurts. When I go to bed at night, everything hurts. Pain doesn't hurt anymore. It's just part of life. I'm a bleeping adult. I make my own bleeping decisions. I won the bleeping contest, I'm going to take the bleeping shot, make the bleeping goal, and win the bleeping cash. And you can't stop me."

With that, Oma threw the newspapers on the floor.

"Kids, I think you should go upstairs," Mom said. "This is adult conversation."

There was no way I was going anywhere, I'll tell you that much. Things were just getting interesting. Dad was really getting hot under the collar. I wanted to stay and watch the fireworks.

"You know," Dad said to Oma, "all these contests you enter are no way to get rich. Contests are just marketing gimmicks that companies put on to sell products, or increase their market share, or create mailing lists. The only way to get rich is by doing long, hard, honest work."

"I worked hard all my life," Oma said. "Where did it get me? You have no right to tell me about honest work. You're a bleeping advertising man! It's your job to tell lies that will convince dumb saps to buy pizzas and pimple creams they don't need. You call that honest work?"

"There's no talking to you," Dad said. "Go ahead and take the shot if you want to. It's your life."

"Fine," Oma said.

At that point, it was like all the air had been let out of a balloon. Mom started clearing the dishes off the table. Dad stomped off to go read one of his detective novels, which is what he does in his spare time. I told Mom that Dusk and I had to go to hockey practice.

"Not so fast, you two!" Oma said as we were about to leave.

"Yes, Oma?"

"First you've got a chore to do."

Dusk and I looked at each other.

"Uh, we don't have any chores, Oma," Dusk said. "Remember? You always complain that we don't have chores."

"You do now," she replied. "You're going to teach me how to play hockey."

TREAT ME NICE

There's this pond by the woods behind our house—

I would just like to go on record as saying that Dawn is doing an excellent job of relating this story pretty much the way it happened so far. That's why I haven't interrupted very much.

Thank you.

Also, from now on, when my name comes up in the story, I would like you to refer to me as "The Rocket."

What?!

I want you to call me Rocket. Dusk "The Rocket" Rosenberg.

Why?

That's my nickname.

Since when?

Since right now. I just thought of it. I've always hated my name. The only reason Mom named us Dawn and Dusk was because that was how long she spent in labor with us. I always wanted to have a nickname. The great Rod Gilbert of the Canadiens was called "The Rocket." I like the sound of that and I want to be called "Rocket" too. Why, can you think of a better nickname?

How about Dusk "The Dork" Rosenberg?

Go ahead and laugh. Someday, thousands of hockey fans will be on their feet chanting "Rocket! Rocket! Rocket!" You'll see.

Okay, "Rocket" it is. If I may continue, there's a pond behind our house. It's back almost by the woods. It's not very big, about the size of a hockey rink. We fish in it during the summer, then it freezes up most of January and February unless we have a really warm winter. I often wonder what happens to the fish when the pond ices over.

They die. That's what happens to them.

Dusk!

Rocket is the name. Hockey is the game.

Okay. "Rocket" and I learned how to skate on the pond. We must have been only four or five when Mom got us our first ice skates, the ones that have two runners. Rocket threw his away years ago, but I still have mine in my room on a bookcase with my other stuff to remind me of when I was little. They're so tiny, it's hard to believe I ever fit my feet into them.

These days Rocket and I usually skate at St-Michel, a rink near our house, because it's regulation size and the conditions are better for playing hockey. But every so often it's fun to go out on the pond. Nothing beats skating outdoors, with the wind in your face.

Uh-oh. I think I feel another haiku coming on.

Just ignore him. We thought the pond would be a good place to take Oma to practice, because it's pretty isolated and so close to our house. Still, it took about a half an hour to get her out there. Rocket had to lug the stick and the goal through the snow, and I had to lug Oma. She refused to use the wheelchair, so I had to help her with her walker to make sure she didn't fall down.

You know what I want to know? Why do they call it a walker? If you can walk, you don't need one. You

54

only need a walker if you can't walk. So they should call it a can't-walker.

Are you finished?

No.

Just ignore my brother. We got Oma out to the center of the pond, and I was kind of frightened. I mean, Oma can barely walk on solid ground. Now she would have to walk on ice. Not only that, but she would have to hold a hockey stick in her hands and shoot a puck with it.

Rocket laced up his skates, and then he set up the goal at the other end of the pond, about fifty feet away. It's one of those goals made from plastic tubing that you fit together and weave the netting around the tubes. I didn't bring my skates. I thought it would be easier to help Oma if I was wearing sneakers. Rocket skated back over to Oma with the stick.

"Now, Oma," he began, "here's how you hold a hockey stick. You put your right hand here and—"

"Just give me the bleeping stick," Oma said. "What do you think I am, an idiot?"

Rocket handed her the stick and she grabbed it with her hands together, the way you would hold a baseball bat. She leaned on the walker with her forearms.

"Where's the bleeping coaster?" she demanded, waving the stick around.

Rocket took the puck out of his pocket and held it up for Oma to see. "Now, the puck is made of hard rubber. The key thing about shooting it is—"

"Just put it down," Oma instructed.

Rocket dropped the puck on the ice in front of Oma without saying another word. She eyed it for a moment, and then she took a swing at it with the stick. It wasn't even close. The blade passed about a foot above the puck. The stick slipped out of her fingers and slid across the ice.

"That's not bad for a first try, Oma," Rocket said. "But the idea is to send the puck down the ice, not the stick."

"Don't get smart with me," Oma said. "Gimme that back."

Rocket skated over to retrieve the stick. He handed it to Oma. This time she put the blade right on the ice behind the puck. Then she gave the blade a little shove forward. It pushed the puck maybe five inches.

Rocket looked to me, and then we both began

clapping. "Yeah, Oma! Way to go!" we hollered. "Great shot!"

"Knock it off," Oma said. "It hardly went any-where. I don't need your bleeping pity."

I put the puck back in front of the walker and Oma tried again. It was pretty much the same result. She had pretty good arm strength, but she didn't seem to understand how to get the blade on the puck. She kept trying, but the puck never went farther than a foot or so.

We tried to explain to Oma how to grip the stick correctly and how to shoot, but she just wouldn't listen. She only wanted to do it her way.

Oma *did* seem to understand that if she could get the stick moving faster, it would propel the puck farther. She began swinging at it again. Half the time she would hit it a few feet, and half the time she would miss completely.

"This has been a good practice," I said when it seemed like Oma was getting tired. "We'll try again tomorrow, okay?"

"One more shot," Oma said. Rocket put the puck down for her.

She gripped the walker with her left hand and took the stick in her right. She brought it back to about shoulder height, and then whipped it down with as much force as she could generate, which wasn't a whole lot.

The blade hit the ice about five inches in front of the puck, so she wasn't able to follow through on her shot. The stick slipped out of her right hand, and her left must have loosened its grip on the walker. Her feet must have slipped on the ice too, because the next thing we knew, Oma was off balance and spinning around backward.

I tried to grab her arm, but I was too late. She fell down, crashing heavily against the ice.

"Oma!" we both shouted, rushing to her.

The first thought that crossed my mind was that Oma was dead. She wasn't moving. It was my fault. I had killed my grandmother.

"Don't touch her!" Rocket warned. "If she's paralyzed or something, she shouldn't be moved!"

"I can't get up," Oma finally groaned. "I think I bleeping broke something."

I ran to get Mom and Dad while Rocket stayed with Oma. A few minutes after Mom called, an ambulance arrived. The paramedics brought a stretcher out to the pond and carefully lifted Oma onto it. I was relieved that she was alive, but I still felt terrible. I didn't know how badly she was hurt.

"It's really not such a good idea for a woman in your condition to be playing ice hockey, ma'am," one of them told her.

"Bleep you," Oma said. "You're not a doctor."

I held Oma's hand as they loaded her into the ambulance. I remember how dry and papery it was. But it was warm too.

We had to sit in the waiting room at the hospital while Oma was being X-rayed and examined. Finally the doctor came out. He introduced himself as Dr. Patel, and he said he had some good news and some bad news. We all braced ourselves.

"The good news is that nothing was broken," Dr. Patel said. "Mrs. Rosenberg is going to be just fine."

Dad let out a big sigh of relief. While we were waiting, he had told us that older people's bones aren't as flexible as ours and they can break very easily if they fall. They don't heal as easily, either. Sometimes elderly people even die if they break their hip.

"What's the bad news?" Mom said, looking worried.

"The bad news is that Mrs. Rosenberg is a terrible hockey player. She really has no chance of making the NHL if she's going to fall down taking a simple slap shot."

We all laughed, but I, for one, thought that was a lame joke. Why is it that doctors always have to tell you they have good news and bad news? And why is the bad news always some lame joke? What happens if there really *is* some bad news, like the patient has two weeks to live? Do they still tell you a lame joke? I'll bet doctors have to take a course in medical school to teach them how to tell good news and bad news jokes.

Are you finished?

No.

"Your grandmother is a feisty lady," Dr. Patel told us, smiling a little. "She refused to take any painkillers. She said that Elvis Presley took painkillers, and that's what killed him."

Oma was going to be okay, Dr. Patel told us. But he said he didn't want her to use a walker anymore. She wasn't stable enough. The time had come for her to switch to the wheelchair full time.

"At least she'll give up on this silly notion of

shooting a million dollar goal," Dad said as we went to see Oma in her room. "Some good will come out of this."

The first thing I noticed when I saw Oma lying in the hospital bed was that she looked so old. She didn't look like herself anymore. She looked tired. The doctor said she seemed feisty, but she didn't look very feisty to me. That fall had taken some of the fight out of her. I think we all noticed.

She looked like she was nearly dead, is what she looked like. I didn't think it was possible for some-body to look so different so quickly.

We gathered around her bed, making small talk for a while. She seemed happy to see us. I knew Dad was afraid to break the news about the wheel-chair to Oma. She was sure to argue about it, and Dad hates arguing with her.

Finally it was Mom who brought up the subject. "Oma," she said gently. "The doctor said he doesn't want you using the walker anymore. He feels you should be in the wheelchair. It's for your own safety."

Oma turned her head to the side and sighed. "I know," she said quietly. "I guess I won't be danc-ing in the end zone after all."

Then she turned her head back to us.

"But I'm still going to take the shot."

We brought Oma home from the hospital that night and set her up in her room with some magazines, TV, stereo, and a stack of her favorite Elvis Presley records. The doctor had ordered her to rest in bed for two days with no physical activity at all.

That night, Rocket and I went into our parents' room for a talk. We had both agreed that if Oma insisted on shooting the million dollar goal, somebody else should coach her. We felt bad about what had happened the first time, and we were afraid she might get hurt again. Oma didn't listen to anything we told her to do anyway. And besides, we had our own hockey to think about.

Mom and Dad listened to what we had to say and said they understood how we felt. But they wanted us to continue coaching her anyway.

"Do you remember when your other grandmother died?" Mom asked.

"It was right after New Year's," Rocket said. "I remember that."

"That's right," Mom said. "When she got older, Grandma used to say she wanted to live to see the twenty-first century. She died on January third, 2000. She had achieved her goal, and then her mind and body quit."

"People need something to live for," Dad continued. "Something to look forward to. Mom and I have our careers and each other and watching you kids grow up. That's what we live for. You've got school and hockey and your friends and your future. That's what you live for. But what does Oma have to live for? Not much."

"These contests she's always entering give her something to get excited about," Mom said. "Even if she never wins any of them, they give her something to wake up the next morning for."

"But she can be . . . such a drag to be around," Rocket said.

"I know," Mom said, putting an arm around each of us. "You know how sometimes you like a person, but you don't love them?"

"Yeah."

"Well, I think the reverse is possible too," Mom said. "You can love a person and not particularly like them. We can love somebody because they are our cousin or our brother or our grandmother, and that's a good enough reason to love them."

"Look, Oma is eighty years old," Dad went on. "Someday she will pass away, and you won't have any grandparents anymore. I know she can be difficult to be with sometimes, but let's all try to love her anyway while she is still with us. And the way to show her you love her is to help her with this silly contest. Okay?"

"Okay."

THE WONDER OF YOU

Oma doesn't play DVDs, CDs, MP3s, or minidisks. She doesn't even play cassette tapes. Oma has an old record player that plays these big old black records called LPs. They actually use a little needle that rests on a groove in the record and the vibration of the needle against the groove creates the sound. Hard to believe, isn't it?

After a while, the needle kind of messes up the groove and the record sounds scratchy. Oma's records are about fifty years old, and they all sound pretty scratchy.

"Come here," she said to me the day after she came home from the hospital. "I want you to listen to something."

I knew it was Elvis Presley as soon as she

dropped the needle on the record. I could recognize the voice. Besides, Oma hardly ever played anything except Elvis. She played me a song called "Rip It Up," bobbing her head up and down slightly with the beat.

"What do you think of that?" she asked when the song was over.

"Cool," I lied.

"You're just trying to make me feel good," Oma said. "I can tell you hate it. But do you think that fifty years from now anybody will be listening to that rap noise you kids like so much? Bleep no. But Elvis, his music will live on after all of us are gone."

"Didn't people say the same thing about Elvis Presley fifty years ago, Oma?" I asked. "Didn't they say he was just a fad, and that his music was just noise?"

"I suppose they did." Oma sighed. "Ah, someday you'll appreciate Elvis."

She had me listen to another song. While it was playing, she closed her eyes and mouthed the words.

"I was thinking," she said when the record was done, "when I die, I want one of those Elvis impersonators to deliver my eulogy."

She was creeping me out. Old people talking about dying creep me out.

It occurred to me that she was giving up, just like my other grandmother gave up after she had lived to see the new century. Oma didn't ask for the newspaper to look for contests to enter. She didn't turn on the TV. Instead, she was listening to her old Elvis records and planning her own funeral.

I told Rocket I was worried, and we decided we weren't going to let it happen. We couldn't cure Oma's physical problems. We couldn't make her young again. But we could make her into the best hockey player she could possibly be.

It wasn't going to be easy, because she wasn't an easy student. We would have to be tough on her. We would have to take charge. And we wouldn't take any of her guff.

We took one of Rocket's old hockey sticks and sawed it down so it was only a few feet long. If you're sitting down, like in a wheelchair, you can generate a lot more power if you shoot with a short stick, holding it with just one hand.

We went over to the sporting-goods store and bought some plastic ice. It comes in eight-by-four-foot sheets and it's made of some stuff called ethylene polymer. It's not as slippery as real ice, but it lets you practice skating and shooting a puck when you can't get to a regular ice rink. Perfect for Oma.

We had Dad call up the Montreal Canadiens promotions department. I had noticed that the contract they had given us at the game didn't say anything about sitting down for the shot. We wanted to make sure it would be okay if Oma took her shot from her wheelchair using the short stick.

The lady on the phone was real interested in Oma, and she said it was fine for her to shoot from a sitting position. She also said she would send over a new contract specifying that the contestant would be in a wheelchair on the night of the big shot.

Finally, we were ready for Oma.

"Get out of bed!" we announced as we marched into Oma's room the next morning. "It's time for hockey practice and your coaches don't like to be kept waiting."

"B-but the doctor told me to rest another day," Oma protested.

Rocket put his face close to Oma's. "Would Elvis rest?" he asked. "Would bleeping Elvis sit around listening to old Elvis records when there was a bleeping million dollar goal to be shot?"

"Where did you learn such language?" Oma asked.

"From you. Now get out of bed."

Oma looked a little surprised at our new attitude, but for once she did as we told her. We transferred her to the wheelchair and rolled her out to the driveway. Rocket had put the goal out there, with the sheet of plastic ice just a few feet away. We had decided that it would be smarter to put the goal close to Oma at first. If she was able to score from a few feet, then we would gradually move the goal farther away. As our folks said, people always need to have something to aim for.

Rocket and I have a lot of experience with hockey sticks. You're supposed to put your dominant hand at the end of the stick, or just below the knob, if there is one. Your thumb goes behind the shaft and wraps around to meet the tip of the forefinger. If you put your thumb on the top of the shaft, your shot will be weaker. Basically, you want to shake hands with the stick.

It's really not that different if you were to hold the stick with one hand. We gave Oma the shortened stick and showed her how to hold it. Since the fall she had taken on the real ice, she seemed more willing to listen to what we had to say. She was more passive, more dependent on us now.

"There are five places to shoot," I told her. "Bottom left corner, bottom right corner, top left corner, top right corner, and between the goalie's legs."

"How about I shoot it right down the middle?" Oma asked.

"Good plan," Rocket said. "There won't be a goalie. Now, there are five kinds of shots you can take. The wrist shot, snap shot, flip shot, slap shot, and backhand shot. The slap shot looks the coolest, because it's the fastest and it makes a great noise when the puck hits the target. Some players can hit a slap shot a hundred miles per hour. But it is also the hardest shot to learn, and you look really stupid if you miss."

I suggested we teach Oma how to do a wrist shot, which is the easiest shot to make, and the most accurate too. Rocket agreed, and he showed Oma how to use her wrist and fingers to control the stick. You don't want to squeeze the shaft too hard, and you want to make sure to keep your elbow up so your wrist can roll as you shoot.

We showed her how to shoot with the puck in the middle of the blade or near the heel, where you have the most control and strength. When a shooter is standing, the legs and hips provide most of the power, but Oma would have to rely on a long sweeping arm motion and a follow-through toward the target.

"How come you kids know so much about this stuff?" Oma asked.

"Hockey is our Elvis," I explained.

Oma took the short stick in her hand and practiced the sweeping motion against the plastic ice. It was a lot easier for her than trying to use the long stick while holding on to the walker. And as long as she was sitting in the wheelchair, she couldn't fall down. She got the hang of it quickly. Her right arm was very strong, she told us, because of all the years she had spent sewing cushions and pillows and slipcovers.

Rocket put a puck down on the plastic ice and told Oma to try and hit it into the goal. Oma put the stick behind the puck and whipped her arm forward. The puck went right down the middle and into the net.

"She shoots!" we hollered, jumping up and down joyfully. "She scores!"

"Move me back," Oma instructed. "That was too bleeping easy."

We moved her back to ten feet or so and she took another shot, hitting the puck right down the middle again and into the net.

"Farther," she told us.

She put a few shots in from fifteen feet too, and we were really getting excited. Rocket jumped in front of the goal and pretended to be trying to stop the shots. Even Oma cracked a smile or two when we would yell and scream each time she put a puck into the goal.

I hadn't noticed, but some boys had gathered across the street to watch what we were doing.

"Hey, Rosenberg!" one of the boys hollered to Rocket. "When did you switch to the senior league?"

"Yeah," another one of them yelled. "It's about *time* you found somebody you could compete against!"

The boys across the street were laughing their heads off and pointing at us.

"Friends of yours?" Oma asked Rocket.

They were some jerks I'd seen around. I guess they played for one of the other teams in our league. I didn't even know their names. I felt like going over there and telling them to get lost, but there were three of them and one of me.

"Hey, you!" Oma shouted at the boys. "Come here!"

The kids looked at each other, then they came across the street and stood in front of Oma.

"Listen, you bleeping little bleeps!" she said, pointing her finger at each of them. "Why don't you mind your own bleeping business? You come around here again and I'll bleeping beat the bleep out of you! So bleep off!"

Then Oma let out a fart that would curl your teeth. The boys ran off like they'd just seen Godzilla.

"Too bad Oma can't shoot the puck with her mouth," I said.

Her mouth? Too bad she couldn't shoot it out of her butt. That million dollars would be a sure thing.

8

FOLLOW THAT DREAM

We worked with Oma every day that week. Some days she was into it, hitting the puck pretty straight and hard. Other days she was too tired or not feeling well and she wasn't any good at all. She wasn't anywhere near ready to take a shot from across the rink yet, but I'd say she was making progress.

On Friday, Dad came home from work with his car loaded down with big cardboard boxes. This was not unusual. He works with a lot of different clients and sometimes he has to carry around samples of whatever product it is they are selling.

"Where's Oma?" he asked, lugging in one of the boxes from the garage.

"She's napping," Mom said.

"Check this out," Dad said, cutting open the box with a razor blade.

He reached into the box and pulled out a bright yellow T-shirt. On the front of the shirt was a big photo of Oma's face. Above the face were the words THE MILLION DOLLAR GOAL and below it SOPHIE ROSENBERG. Then he flipped the shirt over and on the back were the words GO, GRANNY, GO!

"What do you think?" Dad asked us excitedly.

For a moment or two, we all just stood there. I didn't know what to say.

You know how some things are cool and some things are uncool? And some things are so cool that they're not cool anymore, like a song that gets played on the radio so much you can't stand it? And some other things are so uncool that they actually become cool, like the Weather Channel?

Well, I wasn't quite sure where these T-shirts fit in on the coolness scale. They certainly weren't cool, to my eyes. They may have been uncool. But they may have been so uncool that they were actually cool. That was Rocket's opinion.

"Awesome shirts, Dad!" he said. "Can I have one?"

Mom, on the other hand, clearly did not think the shirts were cool at all.

"Ugh," she said, holding her hands in front of her eyes as if the T-shirts were blinding her. "You put your own mother on a tacky T-shirt? Weren't you the one who said you didn't want her to humiliate herself? And the yellow is horrible."

"I think the yellow is cool," Rocket said.

"How many of these monstrosities did you print up?" Mom asked.

"Ten thousand," Dad replied. He explained that they cost just two dollars each to make, and he figured he could sell them for fifteen dollars each on the night Oma takes her shot. So if he makes thirteen dollars on each shirt and he sells all ten thousand of them, they would bring in $130,000.

"Not bad for a night's work," as Dad likes to say. He is so cliché.

Those numbers didn't impress Mom. She still thought the T-shirts were a bad idea. And if nobody wanted them, Dad would have spent $20,000 and ended up with nothing but a garage filled with useless T-shirts.

"Maybe you should think about having your mother's body cryogenically frozen," Mom suggested. "You could make a lot of money selling her DNA after she dies."

That is called sarcasm. Mrs. McElroy taught us about sarcasm in Language Arts. It's when you make fun of somebody by saying the opposite of what you mean.

Oh, thank you, Rocket, for adding that very crucial information.

That's sarcasm too. I am so-o-o-o-o glad that you appreciated my sarcastic comment. Hey, that's sarcasm too!

Are you finished?

No.

"Look," Dad said, "the kids have been working hard with Oma, but I think we all know that she's got about as much of a chance to make that shot as I do of winning the Nobel Prize. If you think she's going to come home that night with a check for a million dollars, you're dreaming. But if we sell these T-shirts, at least she'll get some money out of this."

I'm not one to go prying into my parents' finances. We're not rich. I know that because Mom and Dad are always trying to save a few dollars here and a few dollars there. But I don't think we're poor, either.

I do know that Oma's medical bills add up. Medications and doctors and wheelchairs and stuff cost a lot of money. Oma doesn't have much money of her own. That's one of the reasons she has been living with us all these years.

"Isn't there a more tasteful way to raise money?" Mom asked, but Dad couldn't think of one.

It didn't really matter what any of us thought about the T-shirts. The only opinion that counted was Oma's. A few minutes later, she came rolling into the kitchen.

Oma picked up one of the shirts and looked it over carefully, front and back. She stretched the shirt, held it up to the light, and sniffed it. It had been many years since she had worked as an upholsterer, but she still remembered what to look for in a fabric.

"I'll take ten," she said.

A couple of days later, Rocket and I were watching the local news on TV. They always save the sports report for the end, so you have to sit through half an hour of crime, traffic accidents, celebrity news, and corrupt politicians before they get to the good stuff.

"The Canadiens were off today," the announcer

said, "but we still have some hockey news for all you die-hard fans—"

And then, Oma's face appeared on the screen.

"Mom! Dad! Oma!" we screamed at the top of our lungs. "Come in here quick!"

Mom and Dad came racing into the living room like the house was on fire. Oma rolled in after them, complaining about all the noise and fuss.

On TV, somebody was interviewing Oma. She was sitting there on our couch wearing one of the yellow T-shirts with her own face on it. Velvet Elvis was on the wall behind her.

"They say hockey is a young man's game, but when the Canadiens return from their road trip on February twenty-first, Montreal's oldest female hockey player will be taking the ice at the Molson Centre after the game against the Chicago Black Hawks. Mrs. Sophie Rosenberg will have the opportunity to take one shot on goal. If she makes it, she will be one million dollars richer."

"You didn't tell us you had been interviewed for the news!" Dad said to Oma.

"Do I have to bleeping tell you everything?" she replied. "They came over yesterday while you were grocery shopping."

"Mrs. Rosenberg," the interviewer continued. "Do you really think you can put the puck in the net?"

"What the" *bleep* "kind of question is that?" Oma asked. "Of course I'm gonna put the" *bleep* "ing puck in the" *bleep* "ing net. You think that just because I'm an old bag I can't" *bleep* "ing shoot? Believe you me, after I score that" *bleep* "ing goal, I'll be dancing in the" *bleep* "ing end zone."

Then Oma farted. We could actually hear it on TV.

The interviewer looked all flustered. He didn't quite know what to make of Oma, or what he should do next.

"O-kay!" he finally said. "Dancing in the end zone! Well, uh . . . tell me, Mrs. Rosenberg, what's the story with this Elvis on the wall behind us. Is that velvet?"

"Don't touch the King!" Oma scolded the guy, slapping his hand away before it could reach the portrait. "Do I come over your house and touch your" *bleep* "ing stuff?"

Rocket and I cracked up. "Oma, you're famous!" Rocket said.

"I guess you told *him* a thing or two, Mom!" Dad said.

The interviewer tried to make a graceful get-away, but we didn't hear the ending of the report. There was a knock at the front door and the phone was ringing. Mom got the door. It was a kid who lived down the street. He wanted to know if he could get Oma's autograph. Dad got the phone. It was a newspaper reporter wanting to know if he could do a story on Oma.

As soon as Dad hung up, the phone rang again. And again. And again. Everybody we knew was calling to say they had seen Oma on TV. A lot of our friends didn't even know about Oma, because we never invited anybody over to our house.

"I just spoke with this complete stranger who asked me if he could order some of the T-shirts Oma was wearing on the news," Dad marveled as he took the phone off the hook to prevent it from ringing again. "Can you believe that?"

"How many did he want to order, Dad?" Rocket asked.

"A thousand," Dad replied, shaking his head. "I think I'd better print up more T-shirts."

9

DEVIL IN DISGUISE

We try to make sure somebody is home with Oma all the time. Dad has flexible hours, and Mom works at home most of the time. While Rocket is at hockey practice I'm usually at home, and he's home when I'm at practice, most days anyway.

I was home with her one day when a man came to the door.

"May I speak with your grandmother?" he asked politely, and when she rolled into the living room he added, "in private."

The guy didn't look like a mass murderer or anything. He was short, chunky, balding, well-dressed. He had a cigar in his mouth, but it wasn't lit. Lighting up would have been a big no-no in our house.

He said his name was Sheldon Silverman. He didn't look like he would do any harm. Oma is a grown-up, after all. It's not like I was her baby-sitter. I excused myself and went up to my room to listen to music.

After a while I came back down just to see if everything was okay. The Silverman guy was already gone. Oma was watching one of her soap operas on TV.

"Who was that guy," I asked Oma, "a sales-man?"

"No, he was a nice Jewish boy," she replied. "He gave me this. . . ."

When anybody tells Oma he is Jewish, she immediately likes him. A man is always "a nice Jewish boy"; a woman is always "a nice Jewish girl." This Silverman guy could have been a homo-cidal maniac. But if he was Jewish, he'd be "nice." Oma even insists that Elvis Presley was Jewish, but that's another story.

Oma handed me three or four sheets of paper that were stapled together. On the top of the first sheet, it said PROFESSIONAL SERVICES AGREEMENT. There were a bunch of paragraphs after that, but the print was really small and it didn't make a lot of sense to me. The final page had Silverman's signature at the end, and below that was Oma's signature.

It was obviously a contract of some sort. I've never signed any contracts, and I don't know much about them. But I do know that a contract is sort of like a promise, except that if you break the promise you could lose all your money or even go to jail.

I was concerned, because it didn't seem like a good idea to sign a contract with a stranger who just walked up to your door and talked with you for a half an hour.

I called Dad at his office and told him what happened. He was home a few minutes later, reading the contract even before taking his coat off. As he got deeper into it, his eyes started bugging out.

"Mom!" he yelled, "Tell me you didn't sign this. Please tell me this isn't your signature."

"Sure I signed it," Oma said. "I'm a big girl. I'll sign whatever bleeping thing I want to sign."

"That guy was an agent, Mom! You signed a contract for him to represent you for five years. Do you know what that means?"

"It means he's gonna make some bleeping money for me," Oma said. "Product endorsements, commercials, that sort of thing. He thinks he might even be able to turn this million dollar goal thing into a book or a movie. It could be a lot of bleeping cash."

I was afraid Dad's eyes were going to pop out as he read the small print on the contract.

"Do you realize," Dad said, trying to keep his voice steady, "that for every dollar this guy makes for you, he gets to keep sixty cents?"

"So if he makes a million bucks I get $400,000," Oma calculated. "That's $400,000 more than I have in my pocket right now. And I don't have to do a lick of work. I say it's a good deal."

"Mom, he can do *anything* with your name and picture! He can sell you like toothpaste. You really should have consulted me."

"Did you consult *me* when you printed those T-shirts?" Oma said, pointing a finger at Dad. He shrank back, defeated. "You think small, that's your problem. You want to hawk T-shirts from the trunk of your car. Silverman is talking Hollywood, the Internet, *The Tonight Show*. That's why I signed with Silverman. He thinks big."

Dad looked hurt. He couldn't help Oma get all those things Silverman promised. He hadn't even known she wanted those things. None of us did.

"I just wish you had waited, at least," Dad said quietly. "We could have looked over the contract together, evaluated it, negotiated with him . . ."

"There was no time," Oma explained. "He had to catch a plane. He's on his way to California right now to cut some deals for me."

We figured out pretty quickly that Silverman was a liar. Dad called Silverman's office in Montreal and his secretary said Silverman was too busy to talk. He would be tied up in meetings all day. So he had never gone to California. When Dad tried to schedule an appointment with him, he was told he would have to wait two weeks.

"That man is a sleazeball," Dad said after hanging up the phone.

My father has never been an assertive man. When we're in a restaurant and he doesn't like his food, he'll never send it back. He just eats it or leaves it. He says he doesn't want to make a fuss.

But Dad was really steamed about this Silverman thing. When Mom came home from work, he told her what happened, and they agreed that the only thing to do would be to go to Silverman's office personally and demand to see him.

Rocket was told to stay home with Oma, but Mom and Dad brought me along because I had seen Silverman in person. I would be able to identify him in case he tried to pretend he wasn't the same guy who had come over to our house.

The address on the contract was a high-rise building not far from the Molson Centre in downtown Montreal. When we got off the elevator on the twenty-eighth floor and entered the office of Silverman & Company, a bunch of phones were ringing and employees were hustling back and forth carrying paperwork.

The receptionist asked very sweetly who we were and if we had an appointment. When Mom said we didn't, the receptionist said it would be impossible to meet with Mr. Silverman today. But Dad wasn't having any of that.

"You tell your boss," he said, "if he refuses to meet with us, maybe the police will have the time to meet with us. I'll be calling my lawyer too."

A few minutes later, we were ushered into

Silverman's office. He was sitting behind a big desk, with a big, unlit cigar in his mouth. His copy of the contract with Oma was lying on the desk in front of him. I nodded to Dad to let him know that it was the same guy who had been over to our house. The walls were lined with photos of Silverman shaking hands with various celebrities.

"Mr. and Mrs. Rosenberg!" Silverman said, a big toothy smile on his face. "Shalom! It is so nice of you to shlep all the way over here. People don't stop by just to visit anymore. That's a *shandeh*, don't you think? May I offer you something to nosh on? A cup coffee?"

"You can drop that Jewish stuff," Dad said, looking coldly at Silverman. "The fact that you are Jewish and I am Jewish has no bearing on our discussion, Mr. Silverman."

I knew the Jewish expressions would make no impression on Dad. He hadn't been inside a synagogue since his bar mitzvah when he was thirteen.

"You are absolutely right," Silverman said. "Please, sit down."

"Mr. Silverman, I would like to make this as brief and as civil as possible. My mother is a very old woman, and she is not in the best of health."

"Those are precisely the qualities that make her an attractive spokeswoman, Mr. Rosenberg!" Silverman said, his eyes dancing with delight. "The moment I saw your mother on TV, I thought, she's honest, she's earthy, she's opinionated, she's real, she's got chutzpah—I mean, she's got nerve. She could be the voice of her generation!"

Silverman never took the cigar out of his mouth the whole time he was talking, but he never lit it, either. He just chomped on it the whole time. Finally I couldn't stand it anymore. I asked him why he didn't light the cigar.

"My doctor told me smoking is bad for me," he said.

Silverman told us that he had already begun cooking up book deals, movie deals, and television appearances for "Slap-Shot Sophie." That's what he called Oma. Slap-Shot Sophie.

A company that makes playing cards wanted to put her picture on a deck of Old Maid cards, Silverman said. There was interest in having her do commercials and magazine ads for constipation medication and diapers for adults who couldn't control their bowels. A television producer wanted to make Oma the star of a TV special called "Who Wants to Marry an Elderly Millionaire."

I was watching Dad's face while Silverman was describing the big plans he had for Oma. It went from tan to pink to red to purple.

"I can see it now," Silverman continued, spreading his hands up in the air as if he were looking at a picture. "There will be a Slap-Shot Sophie line of hockey sticks, of course. We'll sell millions of packs of Slap-Shot Sophie bubble gum. Slap-Shot Sophie bobble-head dolls! This million dollar goal is chicken feed, Mr. Rosenberg. It's only the beginning. The possibilities are unlimited. I'm going to make your mother a very wealthy woman!"

"NO . . . YOU . . . WON'T!" Dad said, getting up from the chair until he was towering over Silverman. "My mother will not be a part of this."

"Mr. Rosenberg, I have a signed, legally binding contract. Your mother is a grown woman—"

"My mother is a senile old lady who can't make these decisions for herself!" Dad hollered. "You can take your signed contract and . . . no, I'll do it myself."

Dad picked the contract up from Silverman's

desk and ripped it in half. Then he ripped it in quarters and threw the pieces in Silverman's face.

Man, I wish I could have been there to see that.

"You can't do that!" Silverman shouted as Dad motioned for me and Mom to go. "I've already done a lot of work on your mother's behalf, and I expect to be paid for it. I'll call the cops on you!"

"I'll call the cops on *you!*" Dad shouted back. "You should be arrested for taking advantage of helpless old ladies! You'll be hearing from my lawyer!"

Dad slammed Silverman's door so hard on the way out that I thought the glass was going to shatter.

When we were back in the elevator, Dad was breathing really heavily. He mopped the sweat off his forehead with a handkerchief. Mom and I hugged him all the way down to the lobby.

"Dad," I told him, "you were great!"

10

DON'T ASK ME WHY

There were two weeks to go before Oma would be shooting for the million dollar goal, and she was showing definite improvement with every practice session. She had learned that if she held the short stick the way Rocket and I told her to hold it, she could shoot better.

Leaning over the side of her wheelchair, she was beginning to swipe at the puck with a smooth and powerful motion. She was working hard to get better.

From the start, her shots were on target almost all the time. According to Oma, she was always good at "threading the needle."

Mom and Dad bought more sheets of plastic ice so Oma could practice her shots from farther away. We gradually moved her back to fifty feet, and she was reaching the goal about half the time. A lot of young people who *aren't* sitting in wheelchairs can't do that.

Our practice sessions were usually after school from four o'clock to five. Word must have gotten around, because people started showing up on the sidewalk in front of our house to watch. Oma was becoming the neighborhood celebrity.

Rocket and I hadn't spent this much time with Oma since—

Since we were born, really. Taking care of two babies was really hard on Mom, so Oma helped out. And after Mom went back to work, Oma took care of us pretty much by herself for a while. She was already starting to have trouble walking when we were babies.

Before this whole million dollar goal contest, Oma was just our cranky old grandmother who disapproved of everything we did. She probably thought of us as annoying kids who made too much noise and weren't respectful toward grown-ups.

But as we practiced every day, Oma was getting to know us a little better, and the other way around, too. Sometimes between shots she would ask us about what happened at school that day or she would tell us a little something about what life was like when she was growing up. She didn't yell at us as much as she did before her fall on the ice.

"Why are you doing this?" Rocket asked Oma at the end of one practice. Oma had been working really hard, and she looked exhausted. "Why are you putting yourself through this? You don't have to. You could be sitting home watching your soap operas."

A few people were on the sidewalk watching practice, so Oma rolled over to us so she could talk to us quietly.

"My parents were poor," she said. "They left me nothing when they died. Your grandfather and I came to this country with no money. All we had was the dream of making something of ourselves. Well, Poppop died young, I got sick, and now I'm just as poor as my parents were."

"It doesn't matter to us if you're rich or poor," I told her.

"Maybe not. But if I win this contest, I will have achieved something. I will have bettered myself.

That's human nature. We want to make ourselves better. And whatever money is left after I'm gone will be yours someday. I want you to use it and to build a better life than I did, and your children should have a better life than you have. That's the way things should be."

"You don't have to do that," we told her again.

"I'm doing it," Oma said. "So shut the bleep up."

Oma was pretty upset when Dad told her he had torn up Silverman's contract. But when we told her all the things Silverman was going to do to make money off her, even she agreed that it wasn't a good idea to be involved.

"Over my bleeping dead body will he put me in a diaper ad," she said.

As it turned out, Oma didn't need Silverman anyway. After her appearance on the TV news, the phone just kept ringing. Offers started pouring in from all over. Silverman wasn't the only one out there who saw the moneymaking possibilities of "Slap-Shot Sophie."

First it was the hockey companies. Somebody

wanted to put Oma's picture on a puck. They wanted her to give exhibitions at games and sign autographs at stores. They wanted to market a line of hockey jerseys for senior citizens.

Then we started getting calls from "the old fogey companies," as Oma called them. They wanted her to endorse electric wheelchairs, walkers, and beds that have motors in them to help you get up. They wanted to put her on the cover of *Modern Maturity* magazine.

The coolest thing was that after articles about Oma appeared in the local papers, the kids at school started treating me like I was a celebrity. They would ask for autographs and tickets to see the Canadiens. Kids would come up to me in the hallway and say, "Hey, aren't you the kid whose grandmother is going to take that million dollar shot?" And when I said I was, they would say something like, "Dude, your grandma rocks!"

Kids at school started saying *bleep* all the time because they'd seen Oma get bleeped out on TV. They didn't even say the real curse words that had been bleeped. They'd just say "bleep" instead, as a sort of meaningless word that could be used in any situation.

"Hey, bleep! You want to bleeping go for a bleeping piece of pizza after bleeping school? I'll bleeping meet you at my bleeping locker when the bleeping bell rings." It was hilarious.

Dad had to take some days off from work because he needed to spend so much time fielding requests for Oma to go on talk shows, meet with publishers, respond to e-mail, and decide which offers to accept and which ones to turn down. He was even getting calls from the American media, which hardly ever covers news in Canada.

Every day, Oma was getting more famous. People just seemed to think it was intriguing or amusing or something that this eighty-year-old lady in a wheelchair would be trying to shoot a hockey puck into a goal for a million dollars.

"Oma is one of those irresistible human-interest stories they fill space with when there's no big news to report," Dad told us. "If a war broke out tomorrow, nobody would be writing about her."

One night, we were just sitting down to eat dinner when the phone rang. Usually when people call at dinnertime, they're trying to sell you something

97

and we don't pick up the phone. But there had been so many calls about Oma lately that Dad felt we should take the call. He asked me to pick it up.

"Is this the Rosenberg residence?" a lady asked.

"We're not interested," I said wearily and hung up the phone. The lady had the unmistakable sound of a telemarketer.

A few seconds later, the phone rang again. I picked it up. It was the same lady. I was about to tell her to leave us alone, but she said, "Wait! Could you pass the telephone over to Mrs. Sophie Rosenberg, please?"

I gave Oma the phone and went to the dinner table. She listened for a minute or two and then mumbled something and joined us at the table.

"Who was that, Oma?" Mom asked. "One of your fans?"

"Yeah, the Queen," she said as she filled her plate.

We all stopped eating.

"What Queen?" Dad asked.

"How many bleeping Queens are there?" Oma said. "It was the Queen of England. She said she heard about me and told me good luck and all that nonsense."

After that, it was impossible to eat. I realized that I was probably the only person in the world who ever had hung up on the Queen of England!

11

ALL SHOOK UP

With each practice session, Oma was getting better and better. And with each practice session, more and more people were gathering on the sidewalk outside our house to watch her shoot puck after puck into the net.

"She bleeping shoots!" the crowd would holler. "She bleeping scores!"

Watching Oma practice had become a community event, like fireworks or a parade. People brought their own folding lawn chairs, and they'd come early to make sure they got a good seat. Busloads of senior citizens from nearby retirement communities would pull up to the curb and they would all pile out to cheer Oma on. Schools were even sending kids on class trips to our house. One day I counted fifty spectators out there. We could have set up bleachers and charged admission.

While she was practicing, the spectators would all be staring and pointing and taking pictures of Oma. She must have felt like she was an animal in a zoo. One guy would come every day and hold up a sign that said BLEEPING BLEEP BLEEP BLEEP!

Dad sold all the T-shirts he had printed and he had to reorder. We set up a little booth where people could buy the shirts, and we kept running out.

When people came by and Oma wasn't outside practicing, they would start to chant, "Oma! Oma! Oma!" until she would roll over to the window and give them a little wave.

Word got around that Oma idolized Elvis Presley, and soon people were giving her Elvis key chains, Elvis pot holders, and all kinds of silly Elvis memorabilia. Night and day, Elvis imperson-ators would stand on the sidewalk with guitars and serenade Oma with bad renditions of Elvis songs. Our neighbors called the cops a few times because they couldn't sleep.

A bunch of people asked Oma if she would sell them that awful Velvet Elvis that was hanging over our living-room couch. It had become one of those things that was so uncool, it was cool.

"It's not for sale," Oma told them. "The King gave me that himself, and he said it would bring me good luck."

Some magazine named Oma their "Grandmother of the Year." She was getting marriage proposals from lonely widowers. In a few short weeks, she had become the most famous woman in Canada.

Oma pretended none of this affected her. She would shout to the people hanging around outside our house, "Go home, you bleeping losers!" and "Get a bleeping life!" And they loved her for it!

But you could tell that deep down inside, she liked all the attention and encouragement. It seemed to give her more energy, more determination. I had never seen her so full of life. Her eyes were brighter. I was really starting to believe that she might actually make the shot and win that million dollars.

It was only a week and a half before the big night and everything was looking good. We had just had a practice in which Oma was nailing shot after shot, each one stronger than the one before it.

Then, just as she was about to unload a shot, I heard a crack. Oma's wheelchair toppled over and she fell out of it onto the driveway, landing on her right side, her shooting side. I thought the crack I heard must have been a bone breaking.

Rocket and I and about a dozen people who were watching rushed to Oma's side. A man used his cell phone to call for an ambulance. Some of the people on the street began sobbing.

Just like the first time she had fallen down, the paramedics picked Oma up carefully, put her on a stretcher, and rushed her to the hospital.

When I told a paramedic what had happened, he turned the wheelchair upside down to see what had gone wrong. I figured the wheel must have become loosened or something like that. Maybe the whole thing was our fault. Rocket and I should have been more careful to see that Oma's wheelchair was in good condition.

"This wheel isn't loose," the paramedic told me. "That crack you heard was the axle breaking. Somebody sawed almost right through the thing."

12

SUSPICIOUS MINDS

Rocket and I rode to the hospital in the ambulance (which was pretty cool, even though they refused to turn on the siren). Oma was not in pain the way she had been the last time she fell down. In fact, she didn't want to go to the hospital at all. She insisted that she was fine, and she kept yelling at the driver to turn around and take her home. But the paramedics said that just to be on the safe side, a doctor should examine Oma.

"Don't ever grow old," she advised me, taking my hand with her papery fingers. "Because every time you fall down, they take you to the bleeping hospital."

One of the paramedics let me use her cell phone so I could call Mom and Dad at work. They arrived at the hospital just a few minutes after we did. Oma was taken to her room and in a few minutes the doctor came in. It was Dr. Patel, the same guy who examined Oma the last time she fell down.

"Mrs. Rosenberg, so nice to see you again!" Dr. Patel said. "I have been reading in the newspapers that you've been playing a lot of hockey. Are you going to be trying out for the Canadiens?"

"I'm perfectly all right," Oma complained. "Let me out of here."

"Not before you give me your autograph," Dr. Patel said as he began to push against Oma's arms and legs to see if she felt any pain.

The doctor asked us to leave the room for a few minutes so they could have some privacy. We really didn't want to see Oma naked anyway, to be honest. Rocket and I went out in the hall with Mom and Dad to tell them what had happened.

"The chair just collapsed?" Dad asked, puzzled. "The wheels must have been loose."

"They weren't loose, Dad," Rocket told him. "Somebody took a hacksaw and cut a groove halfway through the axle. I saw it. It was just a matter of time until it snapped."

It was hard for us to grasp the idea that anyone would intentionally hurt an old lady.

"Maybe we should call the police," I suggested.

"Nó," Dad said, rubbing his chin. "I think we can figure this out on our own."

This is when Dad went into his Sherlock Holmes routine. He has read just about every detective novel ever written, so he thinks he can solve any crime.

Dad started pacing up and down the corridor, speculating on the motive, weapons, and what suspect could have possibly committed this heinous crime. It was hysterical. And to think he was wasting his life coming up with dumb slogans for pizza places.

First Dad guessed that the criminal might be the management of the Montreal Canadiens, because they had a perfect motive—if Oma missed the shot, they wouldn't have to pay her a million dollars. So they figured that if Oma was injured, she would miss the shot. They must have sawed through the axle, or hired someone else to do it for them.

We all agreed that was a ridiculous theory. Although some of the players on the team had been accused of being thugs on the ice, the

Canadiens were a reputable organization and wouldn't lower themselves to such dirty tricks.

Dad's next theory was that it might be a hate crime. It had been all over the papers that Oma was Jewish, and maybe some anti-Semite had decided to sabotage her chances of making the million dollar goal.

Again, a very unlikely possibility. If some bigots wanted to get Oma, they would do something a lot worse than making her fall out of her wheelchair. And they didn't burn a cross on our front lawn or paint swastikas on the garage door or anything like that. There was no evidence of a hate crime.

Personally, I thought it was some Elvis Presley haters who did it. Ever since Oma had become famous, they'd been playing that awful Elvis music on the radio constantly. Maybe hearing "Heartbreak Hotel" for the thousandth time had driven somebody off the deep end and they couldn't take it anymore, so they had decided to take it out on Oma.

Are you finished?

No.

"I've got it!" Dad finally said, snapping his fingers.

We had to sit in suspense for a few minutes, because Dr. Patel came out of Oma's room.

"I have good news and bad news," he told us. "The good news is that your Oma is okay. She's an indestructible woman, in fact. She's like one of those piñatas that refuses to break no matter how many times you hit it."

I knew that was true.

"What's the bad news, doctor?" Mom asked, all worried.

"The bad news is that she refused to give me her autograph," Dr. Patel replied. "And while I was examining her, she farted on me."

We all laughed except for Rocket, who rolled his eyes and pretended to stick his finger down his throat and throw up.

Dad's brilliant plan was to set a trap to catch the "wheelchair saboteur" red-handed. It would be a "sting operation," as he called it. That night, after we had brought Oma home and put her to bed, Dad led us out to the driveway. The broken wheelchair was still out there, sitting on the plastic ice.

Dad had four folding chairs with him, and he set them up around the wheelchair. Then he pulled some of that bright yellow crime-scene tape out of his pocket, the kind of tape the police put up to keep people away from touching things. It said WARNING all over the tape.

"This is the bait," he told us excitedly, as he wrapped the tape around the circle of chairs. "Criminals always return to the scene of their crimes. The person or people who vandalized Oma's wheelchair will come back. When they see the wheelchair sitting out here unprotected, it will be irresistible to them. I'm betting they will try to wipe off their fingerprints or maybe even steal the whole wheelchair. And when they do, we've got them!"

"So you're going to sit out here hiding all night and watching for somebody to show up?" Mom asked.

"No, that's the beauty of my plan," Dad said. "I don't have to sit out here all night."

Dad took his little video camera out of his coat pocket.

"*This* is going to sit out here all night and do the watching *for* me!"

We all thought it was a pretty dumb plan. First of all, whoever had sawed through Oma's axle wasn't likely to show up again. Criminals only return to the scene of the crime in movies and detective novels. In the real world, they just go find somebody else to victimize. Secondly, the battery of the video camera wouldn't last all night. And finally, well, it was just plain silly. Whoever had vandalized the wheelchair wouldn't know it was still out there in the driveway, waiting to be revisited.

But Dad was all excited that he was finally getting the chance to put his amateur detective skills to work. He sent me back to the house to get his tripod and put the video camera on the tripod. Then he hid it behind a bush. He put in a blank cassette, turned the camera on, and we all went back home to go to sleep.

First thing in the morning, Dad went out to see if the wheelchair or the crime-scene tape had been tampered with. They hadn't. When he came back in the house with his video camera and tripod, he almost seemed like he was disappointed that nobody had stolen the wheelchair so he would have been able to catch them on video.

We were all making fun of Dad and telling him how sorry we were that his brilliant detective work hadn't solved the crime of the century. Dad said he would rewind the cassette and try again that night.

Rocket wanted to watch the tape, but Dad said it was pointless. If the wheelchair hadn't been moved, there would be nothing of interest on it.

I just thought it would be a riot to watch a video of all that stuff sitting in the driveway all night.

It was. Rocket plunked the cassette in the VCR, and of course it was exactly what we expected it to be. There was a wheelchair surrounded by four other chairs sitting in the driveway. The moon lit the scene just enough to see it. The chairs didn't move. Nothing happened. I've seen some pretty boring videos on MTV, but this had to be the most boring one in the history of the world.

Rocket fast-forwarded to the middle, and it was more of the same. I suggested the title of the movie be *A Night in the Life of Five Chairs.* Mom said that Dad should get an Oscar for best director. Rocket said the video had more action than the last three *Star Wars* movies. It was hilarious.

"You've got to see this!" Rocket cracked when absolutely nothing was happening. "This is my favorite part!"

Dad was pretty good-natured about the kidding. But soon we all got tired of making fun of him, and he went to turn the VCR off. Just before he pushed the STOP button, we heard something on the video.

A sound. It was the sound of a car engine.

The engine turned off and we heard the sound of a car door shutting. Then the sound of footsteps.

"Who could that be in the middle of the night?" Mom wondered.

The footsteps got louder, and then you could hear them slipping on the plastic ice. Somebody was creeping around outside our house.

"Uh-huh!" Dad said excitedly. "You all laugh at me, but I told you the criminal returns to the scene of the crime!"

We kept watching, and suddenly a figure appeared in the frame. It looked to be a man. He was wearing a hat. He was facing the other way so we couldn't see his face. He was examining the crime-scene tape.

"Turn around!" we all yelled at the screen.

The guy tried to step over the tape, but as he lifted one leg the other one slipped and he fell down. The tape didn't break when he hit it, but it pulled the chairs a little bit closer together. Quickly, the guy got up and fixed the chairs. The fall must have spooked him, because he ran away. As he was running, he turned around to face the camera for a split second. We couldn't make out his face. He ran back to his car and drove away.

"Rewind that!" Dad instructed Rocket.

Rocket backed the video up to the point where the guy fell down, and then played it forward in slow motion.

"Pause it right . . . *there!*" Dad barked the moment the guy turned around to face the camera.

There was a cigar in his mouth. It was Sheldon Silverman.

13

LOVE ME TENDER

I wasn't there. I wish I had been there so I could have seen it. But Sheldon Silverman was arrested. They even found in his car the hacksaw that he'd used to cut through Oma's axle.

It said in the newspaper that Silverman made quite a scene, ranting and raving about how he was the one who had made Oma famous, and our family had stolen his money. They showed him on the news being led away in handcuffs. It was great.

"I told you that guy was a sleazeball," Dad said. "I hope they put him away for a good long time."

Dad had to go to the police station to give them evidence against Silverman, and he loved every second of it. I think it made him feel like a real crime buster. He was in a great mood.

Oma wasn't feeling so well that morning, so we didn't take her with us on an important errand. We had to go to the Molson Centre to iron out the details of the million dollar goal. All that the Canadiens had told us so far was that Oma would be taking a shot for a million dollars. We didn't know exactly how far she would be shooting from, or any other specifics about the evening.

Mom wanted me or Rocket to stay home with Oma, but we begged her to take us along. We both wanted to walk on the same ice the Canadiens skate on.

I wanted to bring along my skates in case I would be allowed to take a few laps around the rink, but Dad said no way.

We were met at the Molson Centre by a lady named Debbie Dunn, the public-relations director of the Canadiens. She had a big cheery smile on her face and made some lame joke about "breaking the ice." She said she was disappointed that the famous Sophie "Bleep Bleep" Rosenberg had not been able to make it, but she was happy to show us exactly what was going to happen on Saturday night so we could tell Oma.

I had been inside the Molson Centre plenty of

times before to see hockey games, but this was different. Every seat in the place was empty now. It felt colder. Whenever you said anything, your voice echoed off the walls. It was kind of creepy.

Miss Dunn led us out onto the ice, the same ice all my hockey heroes from the past had skated on. Wayne Gretzky had probably stood right here on this ice, I marveled. So had Bobby Hull, Gordie Howe, and all the others.

Ice is ice. I'm sure it all melted away and has been resurfaced a thousand times since those guys played here.

Rocket is such a bore. Anyway, we went out to center ice. Miss Dunn cautioned us to be careful not to slip and fall. She told us that the February twenty-first game was already a sellout. If Oma made the million dollar goal, they were going to make a big deal with lights, lasers, fireworks, and all that stuff.

"How far will my mother have to shoot from?" Dad asked.

"Right here," Miss Dunn said. "The red line. It's the exact center point of the stadium. We want to make sure all the fans get a great view. We'll set up the target fifty feet from this spot."

Dad looked over at me and Rocket to see our reactions.

"She can do it," I assured him, measuring off the distance in my head and comparing it to our driveway.

"Piece of cake," Rocket added.

"Wonderful!" Miss Dunn said. "Now, I want to make sure you folks understand that Mrs. Rosenberg will not be shooting at a regular goal."

"What will she be shooting at?" Mom asked.

"A check," Miss Dunn replied. "For a million dollars. It will be made out in her name. If she hits the check, she gets to keep it. We thought that would be much more exciting than having her just shooting at a meaningless target."

"Wait a minute!" Dad said, holding up his hand like a traffic cop. "How big will this check be?"

"You know, a regular-size check," she replied, holding her two index fingers about six inches apart.

I looked across the ice again. Fifty feet. A six-inch target. Rocket or I might be able to make that shot one time out of ten with a little luck. Oma had no chance.

"You must be joking!" Dad said, veins popping out on his neck. "That's a virtually impossible shot! My mother has been in the hospital twice because of this contest. She has been out there every day for a month practicing."

"Then she has an excellent chance," Miss Dunn said, still smiling, but not quite as sweetly as when she had said hello to us.

Dad looked like he was just about ready to explode, but Mom held him back and calmed him down.

"You mentioned your concern about the fans being able to see," she said to Miss Dunn politely. "But how are they going to be able to see a tiny little check?"

"We'll make it neon yellow," Miss Dunn replied, "and we'll show it up on the JumboTron screen."

"Wouldn't it be a better idea to have her shoot at one of those giant checks?" Mom suggested, holding her hands out as far apart as she could. "I see that on TV all the time, when companies donate money to charities."

"This is not a charity," Miss Dunn said, no longer smiling. "It's a contest."

"Miss Dunn," Mom said, changing her strategy,

"my children are loyal fans of the Canadiens. . . ."

Miss Dunn just shrugged.

Dad couldn't restrain himself any longer. "This is a big scam, isn't it?" he said, getting in Miss Dunn's face. "You can't expect an old lady in a wheelchair to make a shot like that! What kind of a flimflam operation are you people running here? I'm going to call my lawyer!"

"I would like to help you, Mr. Rosenberg." Miss Dunn was all serious-looking now. "But we're talking about giving away a million dollars here. That's a lot of money. You can't expect us to make the shot *easy*. If your mother doesn't want to participate in the contest with the rules as we have set them up, she doesn't have to."

I was hoping that Dad would take that lady's contract, rip it up, and throw it in her face, just like he did with that creep Silverman's contract. That would have been cool.

I guess he decided that one chance in a million was better than no chance at all. He signed the paperwork, being careful to read all the small print to make sure they weren't trying to pull any other underhanded schemes on us.

We were all bummed out in the car on the way

home. Up until this point, we all thought Oma had a decent chance of scoring the goal. Now we knew she had virtually no chance. There was no way she was going to be able to hit a target so small. None of us wanted to break the news to her.

As it turned out, we didn't have to. Approaching our street, we heard a siren wailing and then we saw an ambulance parked in front of our house. A bunch of gawkers were gathered on the sidewalk.

Dad screeched the car to a stop and we all ran out. A paramedic came out the front door just as Mom was about to open it.

"I'm sorry," he said, tears rolling down his cheeks. "Mrs. Rosenberg is dead."

JAILHOUSE ROCK

We all cried, of course. Even Rocket. Dad just sank to his knees right in the doorway when we got the news that Oma had died.

I knew all along that she didn't have many years ahead of her. We never spoke about it, of course. But every New Year's Eve I used to wonder whether or not Oma would still be with us for the next New Year's Eve. I guess she wasn't indestructible after all. Nobody is.

"Turn off the siren, guys," the paramedic told the ambulance driver. Once they know somebody is dead, I guess there's no reason to rush to the hospital.

I had never seen a dead person before. But I caught a glimpse of Oma. She was lying in her bed.

She looked so peaceful there, like she was sleeping. But I didn't want to touch her. I couldn't bear the thought that her hand might be cold.

I didn't look. I didn't want to.

The paramedics told us that Oma had called the hospital about half an hour earlier, complaining that she was having trouble breathing. They had gotten there a few minutes later and done all they could to save her, but it was no use. They guessed it was a heart attack, but a doctor would have to make that decision.

"Did she have any last words?" Mom asked one of the paramedics who had tried to revive Oma.

"Yes," he said. "She asked me to lean over close to her, and then she whispered in my ear, 'Elvis lives.'" The paramedic broke down, sobbing.

By the time they carried Oma out of the house, our street was filled with people. The word had already spread. People were arriving with flowers, newspaper clippings about Oma, hockey memorabilia, and all kinds of things. They arranged them neatly on our lawn, turning it into a memorial to Oma. People were crying and playing Elvis Presley songs on their boom boxes.

I never realized that when people die, there are a lot of things that their loved ones have to do. Even though the family is incredibly sad, they have to quickly arrange for a funeral, meet with a lawyer to go over the will, track down keys and bankbooks, and other things. We had to arrange to have Oma's name carved on the headstone she would share with Poppop.

Mom had to do most of this stuff, because Dad was pretty broken up. He and Oma used to fight all the time, but I could see he really loved her too. I guess Mom was right when she said that sometimes you love somebody even if you didn't particularly like them.

Rocket and I were pretty broken up too. In the short time we had been working with Oma to get her ready for her million dollar goal, we had gotten to know her well for the first time. While she could be tough to get along with sometimes, we found that she was really an incredible woman. She was tough, she was determined, she really cared about us, and sometimes she was even funny.

I felt really bad because before the whole million dollar goal thing, I had been wishing Oma would die so we wouldn't have to deal with her anymore. And now she was dead and, well, I just felt terrible.

The story about Oma was already flashing around the Internet and the TV news that afternoon. The prime minister declared it a national day of mourning. People from all over Canada started calling to offer their condolences. We had to take the phone off the hook or it would have been ringing constantly.

Mom didn't feel like cooking that night, so we went out to a little pizza place not far from our house. We were all pretty depressed and nobody had much to say. I was in the middle of my second slice of pizza when the thought crossed my mind—what about the million dollar goal?

I felt a little ashamed about having that thought. Oma hadn't even been buried yet, and there I was already wondering in the back of my mind if maybe I might be able to take the shot in her place.

You didn't have to feel ashamed. I had the same thought, and I was only on my first slice of pizza. But there was no way I was going to bring it up. I thought Dad would flip.

As it turned out, neither of us had to bring it up, because Mom did.

"Do you think they'll call the contest off?" she asked.

"I wonder," Dad said. He reached into his jacket pocket and pulled out the paperwork he had signed when we were at the Molson Centre earlier in the day. He had to look it over very carefully before he found this passage, which Dad read out loud: "'. . . and in the event of the death of the participant prior to the contest, a member of the immediate family may, if he or she wishes, take the place of the original partici- pant. . . .'"

Dad looked at me and Rocket. I looked at Rocket. Rocket looked at me.

Then we all looked at the door to the pizza place, because three policemen came in. They didn't look like they wanted pizza. They looked all serious. And they came right over to our table. I figured they were coming over to offer their con- dolences.

"Mr. Rosenberg," one cop said, putting a hand on Dad's shoulder, "I'm sorry to tell you this, but we need to bring you in for questioning."

"Questioning?" Dad asked, startled. "This must be some mistake. I've never broken the law in my life! What's the charge?"

"You are wanted for questioning concerning the death of Sophie Rosenberg."

MY WISH CAME TRUE

Dad jumped out of his seat and began yelling at the policemen. One of them put an arm around him roughly to hold him back. Mom was screaming at them to let Dad go. He bumped the table with his leg and his plate fell off and shattered against the floor.

Everybody in the restaurant turned around to watch. I had never been so embarrassed in my life. Two of the policemen were holding Dad now. I had never seen him so angry. I was afraid things might get out of hand and the cops might hit him over the head with their nightsticks or something. If it had been any other dad in the world, I would have thought it was cool. I mean, this was better than any hockey fight I had ever seen. But it was my dad, and I was scared.

Dad was almost out of control. And who could blame him? That morning his mother had died, and now he was being brought in for questioning as if he had killed her, or something. I nearly went berserk myself, but Mom told me and Rocket to sit down and keep quiet.

Dad finally calmed down and was led out to the police car. Mom brought us home and told us to go to sleep, but I couldn't sleep, of course. All I could think about was my father in jail, maybe for the rest of his life.

In the end, Dad didn't go to jail at all. He was questioned at the police station and he was home before midnight. The policemen who brought him home apologized over and over again for the "inconvenience" they had caused.

"It was because of Silverman," Dad explained after the cops had left. "When he heard the news that Oma had died, he e-mailed in an anonymous tip that I poisoned her so that one of you kids would get to shoot the million dollar goal in her place and we'd have a better chance of winning the money. He must have wanted to get revenge on me for sending him to jail. Can you believe that? That guy must be insane."

"How did they know it was Silverman who sent in the e-mail?" Mom asked.

"They traced it to his jail. And when they got the results back from the tests and found there was no poison in Oma's body, they knew Silverman was lying. I'm surprised he didn't think to have her poisoned too. If he had done that, I would be in jail right now."

It was late. It had been a long, hard day. The next day would be the funeral. We had a family hug and Mom made Dad a cup of tea to calm his nerves.

I didn't want to go to bed just yet. The four of us sat on the living-room couch under Velvet Elvis. I wondered if it would be wrong to get rid of it now that Oma was gone.

"I know we're all thinking about Oma right now," Dad said before sending us up to bed, "but there's something we need to talk about. There are five days left until the million dollar goal. Your mother and I don't know the first thing about hockey. Which one of you wants to take the shot?"

"I do!" we both said at the exact same time.

"I'm a better shooter," Rocket claimed.

"No, you aren't."

"Yes, I am."

"I'm older."

"Yeah, by three minutes!"

"You can't both take the shot," Mom said. "One of you is going to have to be disappointed. You have to come up with a fair solution you can both live with."

"Rock paper scissors?" Rocket suggested.

"You always cheat," I said.

"Draw straws?"

"We could flip a coin," I suggested.

"Fine," Rocket said. "Whatever."

"I have another idea," Mom said. "Why don't you have some kind of a . . . shootout?"

A shootout. Yeah. Rocket and I were nodding our heads. Flipping a coin would be fair too, of course. We'd each have a fifty-fifty chance of winning a coin toss. But for the million dollar goal, it should be the best shooter in there. Plain and simple. And the only way to find out which one of us was the best shooter would be to have a shootout.

"Let me say this," Dad said, "Just so there are no

hard feelings, I think that whichever one of you wins the shootout should split the million dollars evenly with the other one. That is, of course, assuming you score the goal. Can you both agree to that?"

"Agreed," we said, and we shook on it.

The next day we went to Oma's funeral, which was held at a synagogue nearby. Thousands of people, many of them we didn't even know, came to pay their respects. It was all very sad, of course. When the Elvis impersonator came out to talk about Oma and sing "Love Me Tender," everybody was in tears. We were still getting over it late into the night. Rocket and I felt a little bit guilty having our shootout the day after Oma's funeral, but we both agreed that Oma would have wanted us to get on with our lives.

First thing in the morning, Mom called up our hockey coaches. Rocket's coach was on vacation. But Mom reached Phil Cutrone, my coach. Coach Cutrone had been to the funeral, and was wondering what was going to happen with the million dollar goal. Mom told him about the shootout between me and Rocket, and he agreed to help. He told Mom to bring us over to St-Michel, the rink where our team practices, that night after dinner.

I figured it would be me and Rocket, our parents, and Coach Cutrone. But when we pulled into the St-Michel parking lot, it was hard to find a spot. The place was jammed with people. And when we walked into the rink, a roar went up from the bleachers. I looked around and saw all the girls on my team, all the guys on Rocket's team, lots of kids from school, just about everybody we knew, and a whole bunch of strangers too. Some people were holding up pictures of Oma.

Coach Cutrone must have spread the word by phone or e-mail or something. There must have been a thousand people there! It was scary.

It was cool! Usually a dozen spectators or so show up at our games—our parents. I felt my blood pumping when we stepped out on the ice in front of all those people. All the guys on my team were sitting on one side of the rink, and all the girls on Dawn's team were sitting on the other side.

"Go get him, Dawn!" My teammates were hollering and hooting and whistling.

"Dusk, you're the man!" countered his teammates.

Before we went out on the ice, Mom and Dad

pulled us aside for a minute to give us the old whichever-one-of-you-wins-we-still-love-you-both-blah-blah-blah talk. They are so cliché.

Coach Cutrone led us out to center ice. There were two pucks out there on the red line. At the other end of the rink were two shoe boxes, each with one side cut away. It was obvious that Rocket and I would each be trying to shoot a puck into a shoe box.

Coach Cutrone had already talked things over with our parents and worked out the details. Rocket and I would take turns, each shooting ten shots at a distance of fifty feet. He was trying to duplicate the conditions one of us would face on Saturday night in the Molson Centre.

After ten shots, whichever one of us had gotten the puck in the shoe box the most times would be the winner. If it was a tie, or if neither of us got it in the shoe box in ten shots, we would have a sudden-death overtime. The first one to get one in the shoe box would be the winner.

"The puck must go in the shoe box to count as a goal," Coach Cutrone explained. "Are you kids ready?"

"Don't we get a warm-up?" I asked.

"They won't be giving you a warm-up on Saturday night," Coach Cutrone reminded me. "Whichever one of you can handle this kind of pressure should get the chance to shoot the million dollar goal."

The Coach flipped a coin to see who would shoot first, and Rocket won. That was okay with me. I didn't want to shoot first. Let Rocket take that pressure.

I wanted to go first. When I stepped up to the puck for my first shot, everybody was screaming their heads off. I took a deep bow to both sides of the bleachers and waved like I was a big celebrity. I was eating it up!

Yeah, and then he missed his first shot by about twenty feet! Normally I would have laughed. But I figured I should be cool about it because I might do the very same thing. I didn't, though. I missed to the right by about three feet.

Rocket stepped up for his next shot, and this time he didn't clown for the crowd. He was all business. His shot was right there. I thought it was a score, but it missed the shoe box by a couple of inches on the right. The crowd let out a big "Ooooooh!" and Rocket pounded the ice with his stick.

I lined up for my next shot. My first one had been off to the right, so I figured I had to make a correction. I aimed a little bit to the left. That's where it went. A little bit to the left.

This is a tough shot, I was thinking. How would one of us score on Saturday night with just one chance if we couldn't do it in ten chances tonight?

I was thinking these thoughts when Rocket's third shot slid into the shoe box.

"Goooooooooooooooooaaaaaaaaaaaaaallll!" screamed about five hundred people. Rocket pumped his fist the way Tiger Woods does when he sinks a big putt. People were shouting congratulations to Rocket and encouragement to me.

"Boys rule! Girls drool!" the guys on Rocket's hockey team chanted.

It was my turn. I tried to pull myself together. Negative thoughts produce negative results. That's what Coach Cutrone always told us. I'm as good a shot as Rocket. If he can score, I can score.

My shot just missed, a few inches to the right. He had me 1–0 after three shots. There was still plenty of time to catch up.

Both of us missed our next two shots, but just by a few inches. We were in the zone. I was getting more comfortable. The crowd was still shouting, but they weren't as distracting to me as they had been at first. I was focusing on the target. When Rocket missed his sixth shot and mine slid right into the middle of the shoe box, I let out a scream.

"Gooooooooooooooaaaaaaaaaaaaallll!"

"Girls go to college to get more knowledge!" my teammates chanted. "Boys go to Jupiter to get more stupider!"

The score was 1–1 with four shots left. Rocket skated over to me, a determined look on his face.

"You're gonna lose," he said, or some other macho thing he'd undoubtedly heard in one of those action-hero movies he watches. He was trying to intimidate me. I just laughed. I had lived with my brother for eleven years. He wasn't about to intimidate me. I had seen him dancing in his underpants to a Barney tape.

What I said was, "You're going down." And you were so nervous you were shaking in your skates.

Whatever. Rocket slipped his next shot into the shoe box and the pressure was on me, especially after I missed my shot. We both missed our eighth and ninth shots.

One shot left. It didn't take a math genius to

know that with a 2–1 lead, if Rocket scored on his last shot, he would win.

His teammates were shouting out advice and Rocket lined up the shot. I put my hands over my eyes because I couldn't bear to watch. When I heard the "Ooooooh!" from the crowd, I knew he'd missed.

It was 2–1 and I had one last chance to tie it up. I took a deep breath to calm myself. The crowd was screaming, clapping, stomping their feet against the wooden bleachers. I had never been under so much pressure in my life.

"You can do it, Dawn!" somebody screamed.

I lined up the puck and smacked it. And guess what?

It went in.

"Goooooooooooooooaaaaaaaaaaaaallll!"

The whole place was going crazy and I was going crazy and Mom and Dad were going crazy too. People were throwing teddy bears and stuff onto the ice.

This must be what it feels like to win the Stanley Cup, I thought. The Super Bowl. The World Series. The Olympics. The Tour de France. Wimbledon. The Masters.

"Okay," Coach Cutrone said, throwing an arm around each of us. "You both scored two goals in ten shots. That was good. Now it's sudden death. The next one to score a goal is the winner. Dusk, you won the coin toss, so you're up."

I would like to say we had a long, tension-filled sudden-death playoff. I would like to say that. But I can't. Rocket's first overtime shot hit the target, and he won the shootout.

Dawn was a little bit upset that she didn't win, and I couldn't blame her. I had eleven shots, and she only had ten. If she'd had the chance to take another shot, there was a good possibility that she would have scored. But it was sudden death, and that's the way it goes.

It had been a good battle. After it was over, everybody was hugging everybody else. Dawn told me I'd won it fair and square, and she would support me all the way. She was really happy for me.

Me, I had no time to celebrate. I only had a few days to get ready for the million dollar goal.

IF I CAN DREAM

I don't think it was until the day after the shootout that reality finally sank in—Rocket would get the chance to shoot a puck at a target, and if he hit the target the two of us would split a million dollars. Suddenly, the million dollar goal was real.

A million dollars! This wasn't a CD or ice cream or some cheap stuffed animal prize you win at a carnival. It was a million dollars! That's more money than I can imagine. You can buy a lot of stuff for a million dollars. Just about anything you want.

Rocket and I had a long talk about what we would do with the money if we won it. He was thinking along the lines of cool cars and giant screen TVs and all-terrain vehicles and stuff like that. I told him that was silly. He's not even old enough to drive a car if he had one.

I was thinking of putting the money away for college or maybe starting a charity for elderly women like Oma. Rocket said I was out of my mind. He said we should enjoy the money. Oma would have wanted us to, he insisted.

In the end, we decided that we should use the money to build a regulation-size hockey rink in the field behind our house. All the kids we knew could come over and play hockey whenever they liked. We would call it the Sophie Rosenberg Memorial Rink. That seemed like a good idea.

"Two expressions come to mind," Dad said when we told him about our plans. "The first one is 'Cross that bridge when you get to it.' The second one is, 'Don't count your chickens before they're hatched.'"

Dad is so cliché. But he was right, of course. We were too confident. At the shootout, Rocket had only made three goals out of eleven shots. We used a calculator to figure out his shooting percentage: .27272727. A little better than one out of four. Not all that good.

Mom dropped us off at St-Michel ice rink after school on Wednesday so Rocket could practice. The owner had told her that we could come over anytime we wanted, even during figure skating lessons. I guess he thought it would be good publicity for St-Michel if Rocket was seen there.

There were a few figure skaters practicing their spins and jumps. They were watching and whispering, but nobody bothered us. We had a good practice. I acted as Rocket's helper, feeding him puck after puck. He aimed for a spot in the boards fifty feet away.

When he was able to hit that about half the time, I bought him a can of soda as a reward. He drained it, and then I put it on the ice to see if he could knock it over from fifty feet. A couple of times, he did.

While we were practicing, the thought crossed my mind that if Oma hadn't died, I wouldn't be doing this. I would be helping Oma prepare for her million dollar goal. And it would be her money to win.

I was thinking the exact same thing. It's a twin thing, I guess.

When he got tired, Rocket skated over to me.

"Do you remember Oma's last words?" he asked.

"Elvis lives," I recalled. "So what?"

"Elvis lives. It's like an anagram or something. If you scramble the letters in 'Elvis,' it spells 'lives.' Same letters in both words. See?"

"You're not going to get creepy on me now, are you?" I asked.

I was just wondering why Oma would have said that. It had to mean something. Like, maybe she saw Elvis on the other side as she was dying.

Fortunately, Dad showed up to take us home before Rocket could creep me out any further. Dad was holding a long, thin cardboard box about as tall as we are, and he handed it to Rocket. He tore it open. Inside were two hockey sticks.

"One for each of you," Dad said. "The guy in the store said they are made of some state-of-the-art composite material."

"These are top-of-the-line sticks like the pros use!" Rocket marveled, examining his carefully. "Thanks, Dad!"

"You mean to say that you actually set foot into a hockey store?" I asked, incredulous. "All our lives you've been telling us how you can't stand hockey! You refused to learn the game. You made us buy our own equipment. Why the sudden change?"

"Maybe you can teach an old dog new tricks," Dad said, taking my new stick in his hand. "I've learned a thing or two this past month. You know, the guy in the store told me that if you hold your right hand closer to the blade like this, it should improve your accuracy."

"Now you're going to tell *me* how to shoot?" Rocket asked. We all had a good laugh over that, and Dad walked us out to the parking lot with one arm around each of us.

17

IT'S NOW OR NEVER

Saturday morning. February twenty-first. This was it. The big day. No turning back. Now or never. And all those other clichés.

Rocket didn't have much to eat for breakfast, I noticed. He didn't feel like watching cartoons on TV. He was just wandering around the house with nothing to do. I asked him if he wanted to take a few practice shots out on the pond, but he didn't want to do that, either.

Hey, I figured that if I didn't have my shot by then, I probably never would have it. I just wanted to shoot the thing.

Fortunately, we were told to get to the Molson Centre early, so we didn't have to hang around the house all day. I was probably as nervous as Rocket when we were getting ready to leave. I'm not sure if he was throwing up, but he was in the bathroom for an awfully long time.

I did not throw up and I was not nervous. I was combing my hair. When you've got twenty thousand people watching you, you want to look good out there.

"Are you going to wear your Canadiens jersey or the one with your name on it?" Mom asked while we were waiting for Rocket to get out of the bathroom.

"Neither," Rocket said. Then he came out wearing one of the yellow T-shirts Dad had made with Oma's picture on it.

Before we left the house, Dad gave Rocket the old whether-you-make-the-shot-or-miss-it-we'll-still-love-you-blah-blah-blah talk. He is so cliché.

"Okay," Dad said. "Let's get this show on the road."

Rocket grabbed his new stick and we piled into the car. One of our neighbors, Mr. Hammann, was outside his house and he shouted, "Go get 'em, Dusk!"

A big sign in front of the Molson Centre said TONIGHT: THE MILLION DOLLAR GOAL! We pulled into a special V.I.P. parking space. Even though we were early, the lot was already beginning to fill up.

That Miss Dunn lady met us and told us there was somebody she wanted us to meet. She led us through a bunch of tunnels under the stadium and opened a door that said JANITOR on it.

We walked in and there were a bunch of guys sitting on benches. It took about a second for us to realize they were not janitors. They were the Montreal Canadiens! We were in the Canadiens locker room! Pierre Lapointe, Lars Nilsson, and Ivan Turgeon were sitting there in the flesh! Well, they had clothes on, I mean. But they were there. Our heroes were right in front of us.

The players looked up at us standing in the doorway, and they must have recognized Rocket from pictures in the paper or something because one by one they all stood up and started clapping. It was real embarrassing.

It was embarrassing for Dawn. For me, it was like a dream come true.

They all gathered around us and started saying they were sorry to hear about Oma and wishing Rocket good luck. They all signed Rocket's stick and gave me autographed pictures. It was awesome.

"The crucial thing, kid," said Lars Nilsson, throwing his arm around Rocket, "is to forget about the crowd, forget about the noise, forget about the world. Reduce everything down to you, the stick, the puck, and that beautiful million dollar check."

By the time we got out of the locker room and over to the private box that had been reserved for us, most of the seats in the Molson Centre were filled. Lots of people were wearing Dad's yellow T-shirts. Some of them were holding signs that said BLEEP BLEEP! on them. Rocket started to put on his skates, but we all told him he was being ridiculous. He wouldn't be shooting for the million dollar goal until after the Canadiens game was over.

The game was one big blur to me. We had great seats, but I didn't see much. I sat there watching every second of it, but I barely remember what happened. The Canadiens won, I think.

My mind was on the shot. I was rehearsing over and over again in my head exactly how I was going to shoot it. Somebody had told me that great athletes visualize succeeding in their minds before a competition, and it helps them succeed. That's what I was trying to do.

Yes, the Canadiens won, 3–2. It was a great game. Ivan Turgeon scored the winning goal with less than a minute left. It's hard to believe Rocket doesn't remember it.

"You can lace up those skates now, son," Dad said as the Canadiens congratulated each other. "It's showtime."

We gave Rocket one last hug for luck as the intro to "Blue Suede Shoes" blared out of the speakers.

The people who were heading for the exits turned around and went back to their seats. A guy wearing a referee's uniform (I'm not sure if he was a real ref or not) came to our box to get Rocket. Dad got out his video camera and started shooting.

At one end of the rink, some workers had already taken away the regular goal, and they were replacing it with a big wooden semicircle that had a rainbow painted on it. At one end of the rainbow— instead of a pot of gold—was a neon-yellow check. I looked through Dad's binoculars to see if I could make out the writing on it, but it was too far away.

"Who wants to see us give away some money?" boomed the "ref" into a handheld mike.

"Yeeeeeeeaaaaaaaaaahhhhhhhhhhhh!"

When Rocket stepped out on the ice, a huge roar erupted from the stands. He looked nervous to me. If he hadn't been nervous, he would have been bowing and waving and clowning for the fans.

Of course I was nervous! What else would I be? There were more than 20,000 people staring at me, not to mention the millions of people who were watching on TV. I really had to pick my nose, but I knew it would be a terrible time to do that.

"Ladies and gentlemen, approaching center ice is Dusk Rosenberg, who will be attempting to shoot a million dollar goal! Let's make some noise for him!"

He didn't have to encourage the crowd. They were already chanting "Dusk! Dusk! Dusk!"

See? If I'd had my nickname then, they would have been chanting "Rocket! Rocket! Rocket!"

"Before Dusk takes his shot," the announcer said, "please rise and remove your hats. We would like to have a moment of silence in honor of Dusk's grandmother, our beloved Sophie Rosenberg, who as you know could not be with us this evening."

It was totally quiet in the Molson Centre, except for scattered sobbing I could hear around us. The moment of silence was broken by music from the sound system. It was Elvis, singing "Love Me Tender."

It's not one of his rock-and-roll songs. It's really slow and quiet. I had heard the song before, but I never really listened to the words. They are really beautiful.

By the time "Love Me Tender" was over, Mom and Dad and I were pretty choked up. Across the stadium, I could hear people weeping, wailing, and sniffling into handkerchiefs.

The folks who were running the contest must have felt it was too depressing, because as soon as "Love Me Tender" was over, they switched to "All Shook Up," and the joint was rocking again.

"Win it for Granny!" somebody hollered.

"Straight and true, Dusk!"

"You can do it, kid!"

They put Rocket's picture up on the JumboTron screen so his face was about ten feet high. He looked a little scared, but determined too. I was glad it wasn't me out there. I'm not sure I would have been able to handle the pressure.

They showed the check up on the screen too. Now I could make out the writing: PAY TO THE ORDER OF DUSK AND DAWN ROSENBERG. ONE MILLION DOLLARS AND NO CENTS.

"The rules are simple," announced the referee. "If Dusk can knock over the check with the puck, he gets to keep it. The check that is, not the puck. If he misses, he will get a year's supply of Pirelli's delicious pizza, courtesy of our newest sponsor. Any way you slice it, Pirelli Pizza is the nicest."

Dad glanced up from his video camera for a moment to throw Mom and me a grin. "Catchy slogan," he said.

"Dusk! Dusk! Dusk!"

The ref took a puck from his pocket. It was gold. While he was holding it up to show the crowd, a woman came out on the ice pushing an empty wheelchair. She parked it next to Rocket.

"I think it's really nice to see that they're honoring Oma this way," Mom said, wiping her eyes with a tissue.

They didn't bring out the wheelchair to honor Oma. The lady who brought out the chair said to me, "Have a seat," and I said, "What for?" and she said, "Because you're supposed to sit here," and I said, "Says who?" and she said, "That's the arrangement," and I said, "Since when?" and she said—

Oh, let me tell it. It wasn't until later that we got the full explanation. After the first time Oma went to the hospital and was told she shouldn't walk anymore, we wanted to make sure she would be allowed to use a wheelchair to shoot the million dollar goal. The Canadiens said that would be fine, and they even put it in the contract that "the contestant" would be sitting in a wheelchair. But now, the contestant was Rocket.

In other words, Rocket would have to take the shot under the exact same conditions Oma would have taken the shot—sitting in a wheelchair.

Well, you should have seen Dad! He handed Mom the video camera and bolted out of his seat, running on the ice and screaming it was unfair, the Canadiens were a bunch of crooks, that he was going to call his lawyer, and so on.

The crowd had a good laugh when Dad slipped on the ice and fell on his behind. But when they realized that Rocket was being told to sit in the wheelchair, they started booing, shouting rude things, and throwing stuff on the ice. Some security police came out, crossing their arms in front of them and looking menacing. It was getting ugly out there.

I realized I'd better do something or the crowd might get out of control. So I asked the referee guy if I could use the microphone, and he gave it to me.

"Listen up, everybody!" Rocket said. "My grandmother, Sophie Rosenberg, may she rest in peace, used to enter every contest she saw. Oma used to sit at our kitchen table for hours filling out contest applications. And she always told me, 'You've got to play by the bleeping rules. If you don't play by the bleeping rules, you can't bleeping win.' So in honor of Oma, I am going to play by the rules as they are written."

With that, Rocket sat in the wheelchair, and the crowd roared in approval. What a class act! I have never been so proud of my brother in my life.

Dad returned to his seat, and we brushed the ice off his pants. The ref took the microphone back and handed Rocket a sawed-off hockey stick, which had been in a bag hanging off the back of the wheelchair.

"Dusk! Dusk! Dusk!" the crowd began chanting.

Some of the Canadiens must have heard the commotion from their locker room, because they came out on the ice to watch.

The ref placed the puck on the red line, in the middle of the face-off circle. Rocket maneuvered the wheelchair around until it was about a foot to the left of the puck. He swung his arm around a few times to loosen up his muscles.

"Dusk! Dusk! Dusk!"

The ref told me to take my time, but with each passing second I was getting more tense. The crowd was so loud, it sounded like the vibration from their yelling, clapping, and stomping might make the roof cave in. I just wanted to get it over with.

The JumboTron screen kept switching from the image of Rocket's face to the image of the million dollar check. The organist had picked up on the rhythm of the crowd chanting, and she was pounding out chords to go with it. Dad was shooting video. Mom was praying.

Forget about the crowd, I told myself. Forget about the noise. Forget about the world. All that mattered was me, the stick, the puck, and that beautiful million dollar check down there.

Rocket leaned over the side of the wheelchair

and put the blade of the short stick on the ice right behind the puck. Then he looked down the ice at the little target. He narrowed his eyes slightly, taking aim, and took a deep breath.

And then he took his shot.

18

ANY DAY NOW

There are only two possible ways this story could end. . . .

1. Rocket could make the shot. Everybody would scream and we'd run out on the ice. Dad would fall down again. We'd all live happily ever after, and a million dollars richer.
2. Rocket could miss the shot to the left or right. Twenty thousand people would let out a collective sigh. Rocket and I would go back to being plain old normal kids again, except we would have all the pizza we could ever eat.

That is so totally wrong it's not even funny.

Don't you have any imagination? There are lots of other possible ways the story could have ended.

3. The moment I hit the puck, an electrical storm causes all the power to go out in the Molson Centre. The lights go out. When they go back on, the puck is gone. The check is gone. Nobody knows where it is, or whether the puck hit it or not.

4. The moment I hit the puck, Sheldon Silverman (who had recently escaped from jail) dashes past security, runs on the ice, and throws himself in front of the puck in a desperate attempt to prevent me from winning the million dollars.

5. Oma isn't dead at all. She has faked her own death. At the last possible instant, she comes out on the ice and shoots the million dollar goal herself.

6. The moment I hit the puck, a dog comes running out on the ice and grabs the puck in its mouth and runs away with it. We never know if my shot would have hit the target or not.

7. It was all a dream. None of this even happened.

Are you finished? Because this is really ridiculous.

No, I'm not. How about this one? The moment I hit the puck, an alien spaceship crashes through the roof of the Molson Centre—

Are you finished?

No.

Please excuse my brother. I'm afraid that in all the excitement over the million dollar goal, something happened to his brain.

In any case, this is what really happened. . . .

Rocket took the shot.

The puck was sliding across the ice.

I held my breath.

It looked like the puck was sliding in slow motion, somehow.

It looked like it was straight and true, but it was hard to tell from where we were sitting.

As the puck got closer to the check, I could tell it was going to be close.

So could the rest of the crowd. A slow roar built up with every foot of ice the puck crossed.

When it was about ten feet away, it looked like

the shot was going to be on the money, so to speak.

When it was five feet from the check, I had to cover my ears because the people behind us were shrieking so loud I thought my eardrums were going to explode.

Two feet from the check, we were out of our seats, jumping from the sheer exhilaration of the experience.

And then . . .

DON'T CRY DADDY

The puck stopped. One bleeping inch from the check, it ran out of gas and stopped, like a bug that had been stepped on.

Oh, stop your boo-hooing.

We lost. That's right, Rocket missed the shot. I repeat, *missed*. Do not pass GO, do not collect a million dollars.

Couldn't you just say that I made the shot? That would make a much better ending to the story.

You missed. Deal with it, okay? Life isn't a bowl of cherries, as our dad likes to say. Sometimes we fail. Sometimes we lose. Sometimes the hero doesn't get the girl. Sometimes the bad guy wins. We don't always live happily ever after and walk off into the sunset holding hands. Sometimes there's no happy ending. That's life.

Rocket hit it perfectly, but he just didn't quite hit it hard enough. The puck just sat there on the ice an inch from the check, like it was waiting for a traffic light to turn green. The crowd gasped. Rocket tumbled out of the wheelchair and dropped to his knees, his forehead touching the ice. He pounded a fist against the ice. It was all over.

In the movie version, I'll hit the check, okay? Why do they always do that? You read a perfectly good, depressing story, and then they change it around to give it some dumb happy ending. I hate that.

Are you finished?

No.

GOOD LUCK CHARM

Every time he thinks he's been wronged, Dad always says he's going to call his lawyer. But he never actually did it. I had never met dad's lawyer. To tell you the truth, I didn't even believe Dad really had a lawyer.

But there we were, sitting in the law offices of Eric Gullikson, Esq. I don't know what Esq. means, but that's what lawyers call themselves for some reason. Eric Gullikson was an old, gray guy who looked like he had no sense of humor at all.

"Let me first offer my deepest regrets on the passing of your loving mother Sophie," the lawyer said to Dad after we had settled into the thick couches in his office. Blah-blah-blah. After some small talk (which grown-ups always seem to have to do before they say what they came to say), we got down to the business of going over Oma's will.

A will is short for Last Will and Testament. It's basically a contract that grown-ups write up that says who gets their stuff after they're dead. If somebody dies and they don't have a will, the living relatives have to fight it out, I guess, to decide who gets what. The whole thing is kind of creepy, but it's just one of those unpleasant things that comes with being an adult, like having to trim the hair that grows out your ears (which my dad does every week, and it's disgusting).

Oma didn't have a lot of money or a lot of stuff. If she did, she probably wouldn't have been living with us all those years. She had a few thousand dollars in a savings account, which she left to Dad. I knew it didn't even cover the cost of her funeral. Most of her possessions weren't worth anything, but she did leave her jewelry to Mom. A lot of her stuff we would just have to sell or donate to charity.

"'. . . and to my grandchildren, Dawn and Dusk Rosenberg,'" the lawyer read from the will, "'I leave my framed portrait of Elvis Presley (which he gave me personally) in hopes that they might someday appreciate the King the way that I did.'"

It was a serious occasion and all, but we had to laugh. The lawyer took the Elvis portrait out of his closet and handed it to us.

"Velvet Elvis!" I guffawed. "She left us Velvet Elvis?"

"Now we're stuck with it for the rest of our lives!" Rocket moaned.

Even Mom and Dad thought it was funny that Oma had given us Velvet Elvis, probably because they would finally be getting rid of it themselves.

"Hey!" Rocket said, snapping his fingers, "Maybe that's what Oma meant when she said 'Elvis lives.' Those were her last words, remember? Elvis lives. Now that we've got this stupid portrait, Elvis will always live with us."

"Whether we like it or not," I added.

The four of us were discussing Velvet Elvis and having a laugh over it when the lawyer cleared his throat.

"I don't think that's what your grandmother meant when she said 'Elvis lives.'"

We all looked at him.

"I took the liberty of examining this piece of 'art'

thoroughly before giving it to you," he said, putting on a pair of white gloves he'd pulled from his desk drawer. "One never knows what one might find in these situations."

"Did you find something?" Mom asked.

"I removed the thick cardboard backing," he said, as he took the picture out of the frame, "and lo and behold, this document fell out."

He handed a piece of paper to Rocket very carefully. I leaned over to read it over his shoulder.

"It's some sort of a contract," Rocket said.

"A birth certificate," the lawyer corrected him.

"It's Elvis Presley's birth certificate!" I shouted. The name *Elvis Aron Presley* was right there on the top line. The date of birth was January 8, 1935. It was *real*!

"Are you sure?" Mom asked, and we all gathered around to look at the paper.

"Why would he hide his birth certificate in the back of a portrait?" Dad wondered.

"Is it a one of a kind?" I asked.

"This could be worth a lot of money!" Rocket said.

"I can't answer all your questions," the lawyer told us. "I don't know what would possess someone to hide their birth certificate behind a painting. Perhaps Mr. Presley didn't even know it was there when he gave it to your grandmother. But I do know that it is original, it is authentic, and one of a kind. I had a Presley memorabilia expert look it over, and he appraised it in the neighborhood of one million dollars."

None of us said anything for what felt like an hour but was probably five seconds. Then we all started talking at once.

"A million dollars?" Dad asked. "Are you *sure*?"

"Oma was a millionaire!" Mom exclaimed.

"So *that's* what she meant by 'Elvis lives!'" Rocket said. "She had his birth certificate, the written legal proof that he was born!"

"Oh, stop it," I told him. "We don't even know if Oma knew the birth certificate was there."

"Who cares what she meant by 'Elvis lives'?" Rocket insisted. "Long live the King of Rock and Roll! Wop-bop-a-loom-a-boom-bam-boom!"

Well, that's the story, pretty much the way it happened.

I guess it did have a happy ending after all.

Yeah, I guess so.

So in other words, life *is* a bowl of cherries. Sometimes we win. Sometimes we live happily ever after and walk off into the sunset. Sometimes you get to dance in the end zone, even if there is no end zone. Sometimes—

Are you finished?

Yes.